" " 에 대하여

" " 에 대하여

발 행 | 2024년 01월 12일
저 자 | 윤태건
펴낸이 | 한건희
펴낸곳 | 주식회사 부크크
출판사등록 | 2014.07.15.(제2014-16호)
주 소 | 서울특별시 금천구 가산디지털1로 119 SK트윈타워 A동 305호
전 화 | 1670-8316
이메일 | info@bookk.co.kr

ISBN | 979-11-410-6639-0

www.bookk.co.kr

"

"

에

대
하
여

윤태건 지음

목차

안녕하세요. 윤태건입니다.

최근까지 SNS에 다양한 글을 게시해 왔었고 그 가운데 일부를 엮어, 이렇게 책을 찍어냈습니다. 전자책이 주는 편리함과 나름의 매력도 좋지만 저는 여전히 종이책이 더 좋네요.

예전엔 모든 이에게 따뜻함을 전할 수 있는 글을 쓰고 싶었습니다. 하지만 정리해 놓고 보니 오히려 따뜻함이 필요한 글이라고 느껴집니다. 아마도 글을 쓴 이가 차가운 편이라 그런가 봅니다.

사람은 무엇으로 사는가라는 물음에 저는 항상 사랑이라고 답합니다. 분에 넘치는 사랑을 받아온 삶이지만 더한 사랑을 받고 싶은 마음입니다. 그리고 살아오면서 한 가지 깨달은 것이 있습니다. 사랑을 받기 위해선 먼저 자신을 내어줘야 한다는 것이죠. 진실하고 따스한 내 모습을 보여줄 때, 더 많은 사랑을 받을 수 있음을 느낍니다. 그래서 글을 쓰는 동안, 항상 여러분에게 어떤 의미로 다가갈지를 상상합니다. 제 생각과 느낌을 과연 여러분은 어떻게 받아들이실지, 제 글이 사랑을 줄 수 있는지, 그리고 사랑받을 만한지를 고민합니다.

책의 구성은 다소 무질서하게 느껴질 수 있습니다. 시의 형태를 빌려왔으나 정통 시라고 하기에는 여러모로 미흡합니다. 오히려 'T발 이게 시야?'라고 할 만한 것이 많습니다. 또한, 개인적인 생각과 에피소드를 담은 산문도 몇 편 포함되어 있기에 '글 모음집'이라는 표현이 적당할 것 같습니다.

주제는 주로 사랑, 관계, 생각, 노래에 관한 것입니다. 하지만 주제별로 엮지 않고 ㄱ, ㄴ, ㄷ 순으로 배열해 보았습니다. 책 읽기에서 '흐름'은 중요합니다만 이번에는 제 일상의 복잡한 감정과 생각의 뒤엉킴을 표현하고자 하는 시도로 이같이 정리했습니다. 독서의 흐름이 이어지지 못하는 불편함이 다소 있겠지만, 언제 어디서 읽든, 어느 페이지를 펼치든 부담 없이 읽으실 수 있다는 장점이 있겠네요

저는 제 글이 항상 7의 거리에 있었으면 좋겠습니다. 너무 깊은 몰입도, 그렇다고 지나치기엔 아쉬운, 그런 적절한 거리 말입니다. 저와 여러분 모두의 삶과 관련이 있으되, 불편할 정도로 가깝지는 않은 그런 주제를 말하고자 했습니다. 그렇게 탄생한 '만만한' 글입니다만 여러분께 약간의 영감이라도 드릴 수 있다면 더할 나위가 없겠습니다.

한 페이지에 시 한 편, 그리고 다음 페이지에 해당 시에 대한 저의 해설이나 감상과 같은 후기가 이어집니다. 정성스럽게 담긴 음식을 바로 보는 것도 좋지만, 음식이 만들어지고 그릇에 담기는 과정 역시 보는 재미가 있을 것으로 생각했습니다.

이 책은 제 삶과 생각의 여정을 담고 있습니다. 이 여정이 쓸쓸하지 않게 배웅해 주시고 함께해 주신 모든 분께 깊은 감사의 마음을 담아 이 책을 바칩니다.

1 사랑

    사랑의 정수를 탐구하고 그 본연의 의미를 언어로 완벽하게 담아내기란 참으로 난해한 일입니다. 사랑은 그 다양한 형상과 순간들로 인해, 단순히 말의 나열로는 충분히 그려내기 어렵습니다. 개인과 상황, 시간에 따라 각각의 독특한 모습으로 다가오며 우리의 언어적 표현이 개인별로 다르기 때문에 일률적인 사랑의 정의를 내리기란 더욱 어려운 것 같습니다.

    저 역시 이와 같은 고민을 안고 살아갑니다. 제가 경험하고 말하고 싶은 사랑을 어떻게 잘 전달할 수 있을까 매번 숙고합니다만 그다지 만족스럽지 않습니다. 그럼에도 괜찮다고 생각합니다. 사랑이 언어로 완전히 표현되어버리면 그 또한 아쉬울 것 같습니다.

2   관계

사람과 관계를 맺는 것은 참으로 경이로운 순간이기도 하지만 그만큼 어렵기도 합니다. 그리고 그 관계를 잘 유지해 가는 것은 더 큰 어려움과 도전이 따릅니다. 제 생각과 감정이 관계에 영향을 주기도, 받기도 하면서 삶의 일부가 되어 갑니다. 이 과정에서 우리는 때로 스트레스를 받지만, 반대로 큰 위안을 찾기도 합니다.

일상적인 대화나 감정을 여러분과 나누는 것도 좋지만, 여기서는 이 주제를 결정하고 처음 떠오른 몇몇 관계와 일들을 이야기하고자 합니다. 이 글에 나올 사람들과의 관계와 사건들은 제 삶에 큰 영향을 미쳤고 잊을 수 없는 순간들을 선사했습니다.

이 여정에서 여러분과 공유할 수 있는 경험이 있었으면 좋겠습니다. 그렇지 않더라도 간접적으로나마 제 감정과 생각이 여러분께 전달되었으면 하는 마음입니다.

3   생 각

생각이 많다는 것은 때로 피곤한 일이지만, 글쓰기에는 큰 이점이 되곤 합니다. 끝없이 이어지는 생각의 흐름이 글의 물결을 만들어내니까요.

생각의 대상은 무한합니다. 타이핑하는 손끝에서 시작해 주변의 사물과 사회의 크고 작은 이슈에 이르기까지 그 모든 것이 영감의 원천이 됩니다. 오늘 서울에 많은 눈이 내렸다고 하네요. 불현듯 떠오르는 이야기를 따로 메모해 둡니다.

이렇게 정리된 생각들을 여러분과 나누는 일은 매우 즐거운 과정입니다. 여러분 중 일부는 제 글에 공감할 수도 있고, 또 전혀 다른 시각을 가진 분도 당연히 계시겠죠. 이러한 생각의 교류는 우리에게 더 넓고 다양한 세계를 경험하게 해줄 것입니다.

무엇보다 중요한 것은 이 소통을 통해 우리가 더 가까워지고 함께 성장하며 변화한다는 것입니다. 서로 다른 삶의 조각들을 모아 큰 그림을 완성해 나가는 과정이 바로 여기에 있습니다.

#4 노래

　제 삶의 모든 순간에는 마치 배경처럼 노래가 자리 잡고 있습니다. 입학의 설렘과 첫사랑의 떨림, 이별의 아픔과 사회를 향한 도전, 그리고 실패, 여행과 일탈. 이 모든 순간에 노래는 감정의 증언자가 되어 추억을 대변해 주기도 하고 때로는 추억을 담아내는 책갈피가 되기도 합니다. 저는 세상의 모든 노래에는 세상의 모든 감정이 담겨 있다고 생각합니다. 그래서 우리가 어떠한 감정을 표현하기에 미숙하거나 마땅한 수단을 찾지 못하면 노래가 좋은 도구가 되어주는 것이죠.

　저는 특정 장르에 대한 거부감은 없으나 그래도 플레이리스트에 따로 저장해두는 노래들이 있습니다. 그중 몇몇 곡을 추려서 제 생각이나 추억을 풀어내 봤습니다. 이번엔 비록 일부에 불과하지만, 나중엔 노래에 관련한 글들로만 묶어보고 싶네요. 이번 작업을 통해 과거와 현재의 취향을 비교해 볼 수 있었습니다. 크게 달라진 것은 아니지만 범위가 더 넓어진 것 같습니다. 모쪼록, 이번에 추억을 공유해본 이 노래들을 한 번쯤 들어보실 것을 권해드립니다.

" " 에 대하여

- 윤태건 -

" " 에 대하여

- wacoon1426 -

NPC

산꼭대기에서 강가에 이르기까지
넓은 세상만큼 각자의 길은 제각각이다
주인공은 높은 산을 용감히 오르고
NPC는 고요한 강가에서 세상을 응시한다

어떤 이는 바람을 가르며 높이 날고
또 어떤 이는 별빛 아래 꿈을 꾼다
주인공의 길은 찬란하게 빛나지만
NPC의 삶 속에 간직된 이야기도 있다

주인공은 새로운 역사를 써 내려가는 한편
NPC는 자신만의 꽃을 가꾸며 존재한다
비록 세상이 주인공만을 기억하려 해도
그늘진 곳에서 자신만의 꿈을 꾸는 이들도 있다

저는 RPG 게임을 좋아합니다. 그리고 그 세계에는 NPC라고 불리는 인물들이 존재합니다. Non-player character의 약자로, 흔히 상점 주인이나 여관 관리인, 지나가는 조연 등의 역할을 합니다. 대부분의 NPC에는 별다른 배경 이야기가 없고, 대사도 항상 똑같습니다. 그러나 몇몇 방대한 게임에는 NPC 마다 고유의 이야기가 숨겨져 있는데, 그것을 발견하는 것은 게임의 특별한 매력 중 하나입니다.

그렇다 하더라도 결국 NPC는 주인공이 아닙니다. 한때 저는 현실의 세상도 이와 유사하다고 여겼습니다. 마치 모든 것이 예정된 것처럼, 일부 사람들만이 주목받고 나머지는 조연처럼 느껴졌죠. 저 자신도 이 세상의 조연에 머무는 것 같았습니다.

하지만 돌이켜 생각해 보면 게임을 즐기던 시절 저는 NPC의 이야기에 가슴 설레기도 하고 그들의 이야기가 더 이어지길 바랐었습니다. NPC도 그들의 인생에서는 조연이 아닌 주인공이었던 것이죠. 남들에게 영감을 주는 바로 그런 주인공 말입니다. 우리 인생에서 우리는 절대 조연이 될 수 없습니다. 각자의 이야기를 품고 있는 주연인 것이죠. 세상에 압도당하지 말고 당당히 우리의 삶과 이야기를 이어 나가면 되지 않을까 생각해 봅니다.

SNS

빛나는 화면 뒤의 세상
가득 찬 별들로 반짝인다

내 모습은 그곳에 없는데
반짝임 속 내 일상이 흐려진다

손에 쥔 스크린은 밝은데
마음속엔 차가운 그늘이 드리우고
저 멀리 펼쳐진 세상의 소식 속에
내 조용한 숨소리는 묻혀 버렸다

기계적인 움직임, 반복되는 스크롤
그 사이로 스멀거리는 공허의 미소만이
나를 반긴다

저는 SNS를 이용하기 시작한 것이 늦은 편입니다. 대외 활동이 많은 편도 아니라 문자와 카카오톡만으로도 충분했습니다. 하지만 글쓰기를 시작하면서 생각을 나눌 수 있는 플랫폼이 필요해져, 서른을 넘긴 나이에 인스타그램을 처음으로 사용하기 시작했습니다. 처음엔 타인의 일상과 다양한 콘텐츠에 푹 빠져 시간 가는 줄 모르고 즐겼습니다.

그러나 점차 제 삶에 집중하지 못하고 있다는 사실을 깨달았습니다. 모든 기준이 이름 모를 타인에게 맞춰져 있었고, 그들과의 비교에서 자존감을 상실하기도 했습니다. 또한 제가 해야 할 일에 대한 주관이 흔들리면서 스스로를 잃어가고 있었죠. 이러한 상황에 대한 성찰과 반성이 이 글의 주된 내용입니다.

이제 저는 SNS를 최소한으로만 사용하고 있습니다. 글을 올리고, 지인들의 최신 게시물을 확인한 뒤 바로 앱을 종료합니다. 다시는 허무의 미소가 저를 반기지 못하도록 말이죠.

감정의 시계

어렸을 적 일이다

사랑했던 외할머니가 돌아가시고 난 후
나는 어른들을 따라 슬픔을 연기했다

무언가 기분이 이상했지만, 눈물이 나지 않았다
하지만 슬퍼해야 했기에 눈물을 따라 했다

나중에야 내 마음을 이해했다
슬픔을 연기한 것이 아니라
슬픔을 알아가는 중이었다는 것을

소중한 사람이 떠났다는 그 미어짐을
이제야 이해할 수 있다

감정의 시간은 남과 다르게 흐를 수 있다
고장 난 것이 아니라 아직 그 시간이 오지 않은 것이다

이 글은 제 어린 시절 외할머니를 잃었던 경험과 그로 인해 겪은 감정의 여정에 대한 반추입니다. 학창 시절, 저는 자주 외할머니댁을 방문했습니다. 외할머니는 건강이 좋지 못하셔서 항상 누워 계셨지만, 언제나 저를 따뜻하게 맞아주시고 아주 많이 예뻐해 주셨습니다. 제 삶에서 소중한 그분과의 추억은 여전히 제 마음속에 따뜻하게 남아있습니다.

학교에서 교시가 끝난 후 외할머니께서 돌아가셨다는 연락을 받았습니다. 조퇴하여 학교를 나서는 데 마음이 묘했습니다. 슬픔보다는 무언가 현실이 아닌 듯한 느낌이었죠. 그 후로 상당 기간 제 마음은 이해하기 어려운 상태였습니다. 외할머니를 너무 사랑했기에 저는 당연히 슬퍼하고 울어야 한다고 생각했지만, 눈물은 쉽게 흐르지 않았습니다. 저 자신이 이상한 사람 같았고, 눈물이 나지 않는 것에 혼란스러웠습니다.

시간이 흘러 성인이 된 후에야 그 당시의 제 감정을 이해하게 되었습니다. 그것은 슬프지 않아서가 아니라 슬픔을 이해하고 받아들이는 과정이었던 것입니다. 그제야 한편으로는 안심했습니다. 제가 이상한 사람이 아니란걸, 그리고 제가 정말 외할머니를 사랑했었음을 확신할 수 있었기 때문이죠.

걱정

나에 대한 주변의 시선들
그 크고 무거운 그림자들을 끌고 다니며
세상은 나를 어떻게 생각할지 고민하는 밤

하지만 차가운 사실은
나만큼 남들도 자신에게 집중하고 있다는 것

나 하나 건사하기에도 바쁜 날들 속에
우리는 모두 자기 삶에 더 가깝게 서 있다
주변 세상은 그저 자신의 궤도에 불과한 것

'저 사람은 나를 어떻게 생각할까'
'내가 실수한 것일까' 하는 고민들
그러나 그들은 이미 다음 장면으로 넘어갔을지도

별일 아닌 것에 마음을 맡기지 말자
그들의 그들의 인생을, 나는 나의 인생을

예전에 후배에게 건넸던 조언이자 저 자신에게도 자주 상기시키는 말입니다. 그것은 바로, 내가 염려하는 만큼 막상 세상 사람들은 내게 관심이 없다는 것이죠. 처음엔 이 사실이 다소 냉혹하게 느껴질 수도 있지만 이는 자기 보호를 위한 최소한의 보호막이라고 생각합니다. 물론 자신을 과도하게 비난하지 말라는 의미이지, 사람들과 정을 나누지 말자는 것이 아닙니다.

저 역시 과거에는 타인의 시선에 지나치게 압박감을 느꼈습니다. 마치 모든 행위가 비판의 대상이 될 것만 같았죠. 그 결과로 몇 번이나 스스로 무너졌습니다. 하지만 그것은 지나친 염려였음을 깨달았습니다.

좀 더 객관적인 시선으로 현실을 바라보며 사람들은 각자의 세계에 몰두해 있음을 이해했습니다. 출근길에 사람들은 각자의 핸드폰에 시선을 고정한 채 서로의 삶에 무관심합니다. 소위 말하는 지옥철에서 서로 몸이 부대끼고 불쾌할 상황에서도 말이죠. 이는 저도 마찬가지였습니다.

혹여 이러한 고민을 안고 있다면 타인에게 지나치게 신경 쓰지 않는 것이 좋습니다. 우리가 자기 모습에만 신경 쓰듯, 다른 사람들도 자신에게 집중하고 있기 때문입니다. 진심을 담아 내 행동에 하나하나 의미를 부여하며 꼬투리 잡을 사람은 없다는 뜻이지요.

건전지

빨간빛이 점멸하는 무선 마우스
작업의 바다에서 지쳐가는 숨결을 느낀다

너도 이제 한계구나
하지만 조금만 더 버텨줘
내 몸을 붙잡는 그 말을 마우스에도 되풀이했다

장시간의 작업을 마치고 나니
그 작은 친구는 불빛을 잃은 채 잠들었다

새 건전지로 다시 깨우니
새벽처럼 활기를 되찾았다

피로한 몸을 이끌고 침대로 향하며
괜스레 부러워졌다
저 간단하고도 간편한 재생이

언제부턴가 무선 마우스를 쓰기 시작했습니다. 걸리적거리는 선 없이 자유롭게 움직이는 것이 꽤 마음에 들었죠. 주기적으로 건전지를 교체하는 것 외에는 특별한 불편함도 없었습니다. 건전지의 수명이 다해가면 빨간색으로 점멸하며 경고 신호를 보내옵니다.

　작업에 몰입하게 되면 꽤 오랜 시간 컴퓨터 앞에 앉아있습니다. 잠시 휴식을 취하는 것이 좋을 텐데, 때때로 그 짧은 쉼이 작업의 흐름을 방해할 것만 같은 순간들이 있습니다. 마치 운동의 마지막 구간처럼 체력과 의지, 정신력을 쥐어짜내기 시작합니다. 이러한 순간에는 키보드와 마우스가 마치 제 동료인 것처럼 느껴집니다. 그들과 저에게 응원을 보내며 작업의 끝을 향해 달려갑니다. 키보드는 선으로 연결되어 지칠 줄을 모르나 무선 마우스는 저와 비슷한 상황입니다. 빨간빛을 내비치며 휴식을 요구하죠. 하지만 여기까지 온 이상 멈출 수 없습니다.

　작업을 마치고 나니 마우스 커서는 더 이상 움직이지 않았습니다. 몸을 일으켜 새 건전지로 교체하니 아무 일도 없던 것처럼 다시 활기를 띱니다. 그제야 의식이 현실로 되돌아옵니다. 나는 사람이고 저것은 기계였구나. 이불에 몸을 파묻으며 그 간편한 재생이 너무나 부러워져서 쓰게 된 글입니다.

계단

첫사랑의 떨림과
청춘의 불꽃이 스며든 곳
한걸음 한걸음이 쌓여 있는 나만의 역사

계단은 단순한 연결고리가 아닌
삶과 꿈이 엮인 통로

매 순간 나룻배처럼
추억과 감정의 다리를 건너며
사랑과 청춘이 남긴 흔적들이
살포시 내 마음을 어루만진다

계단 오르기는 일상에서 접할 수 있는 최고의 운동 중 하나로 꼽힙니다. 이 사실을 잘 알고 있음에도 불구하고, 저는 계단 옆에 있는 에스컬레이터를 주로 이용합니다. 예전엔 운동한답시고 억지로라도 계단을 올랐었는데 말이죠. 아직도 운영하는지는 모르겠으나, 대학 시절에 63빌딩 계단 오르기라는 것이 있었습니다. 참가했다가 도중에 일이 생겨 하차했었는데, 그때는 정상에 도달할 수 있으리라 믿었습니다. 하지만 지금은 엄두가 나질 않는군요.

계단은 저에게 낭만적인 기억을 선사하기도 했습니다. 제 인생의 첫 키스가 그곳에서 이루어졌으니까요. 정확히 어느 건물의 몇 층 계단인지도 기억납니다. 그때 비밀리에 연애 중이었기 때문에 은밀하게 계단을 찾는 일이 잦았던 것 같습니다. 당시에는 그런 순간들이 낭만적으로 느껴졌는데, 이제는 주위의 시선 때문에 같은 행동을 할 수 있을지 모르겠습니다. 물론 상황이 되면 눈치를 볼까 싶지만요.

이외에도 돈 아끼며 운동한다고 동네 아파트 계단을 오르내린 일, 술자리 후에 후배가 지하철 계단에서 넘어져 다치는 바람에 서둘러 달려갔던 일, 이별 후 캠퍼스의 한적한 건물 계단에서 울음을 터뜨렸던 순간 등 많은 추억이 있습니다. 계단은 제게 앉아서 쉬기를 권하면서도 동시에 그 자리에 머물러만 있지 말라고 조언하는 것 같습니다.

고뇌

좁은 방 안에서 내다본
밤하늘에 뜬 달

외로운 술잔 속 반영
흐린 거울 속의 모습
익숙하지만 낯설어 보이는 한 사람

조용한 슬픔으로 자라난
안개와 같은 의문들

무엇을 찾으려 하나
무엇을 잃은 것인가

명확하지 않은 대답
길잃은 영혼의 방황

창밖의 달은 아무 말 없이 날 비추고
거울 속 누군가도 아무 말 없이 날 바라본다

이따금 거울 속 자기 모습이 낯설어 보일 때가 있습니다. 그럴 때 밤하늘을 올려다보면 여지없이 밝은 달이 떠 있습니다. 고요한 밤이지만은 생각은 그렇게 평온하지 못합니다. 나라는 존재에 대한 근원적인 고민부터 시작해, 잠들어있는 내면의 신화, 나아가고자 하는 길, 주변 사람들과의 관계 등 모든 것을 되짚어봅니다. 그러다가 종종 확신을 잃고, 깊은 고뇌에 빠지곤 합니다. 내가 지금 무엇을 하고 있는지, 무엇을 잃어 왔는지와 같은 것들에 대해서 말이죠. 현실로부터 분리되어 오롯이 나만의 심상에 빠집니다.

사실 누구에게나 이런 순간은 오기 마련입니다. 마치 구름처럼 명확하지 않은 상황과 감정 속에서 내 삶의 모든 사건과 고민에 질문을 던지게 되죠.

하지만 너무 걱정하지 않으셔도 됩니다. 제 경험에 비추어 보면, 어떤 것에 지나치게 몰두할 때 종종 이러한 상황이 발생합니다. 중심을 잡고 있던 내가 탈진해 있는 동안 온갖 것들이 활개를 치는 것이 아닌가 짐작해 봅니다.

고백을 앞두고

- 윤종신 (논스톱 4) -

첫사랑의 설렘과 그 복잡한 감정을
이 노래의 멜로디에 담아
청춘의 아름다움과 아픔을 함께 느낀다

어린 시절, 미묘한 마음이
드라마와 음악을 통해 빛을 발하며
사랑의 첫걸음을 내디뎠다

그렇게 사랑의 복잡함을 배우며
이루어질지 모를 고백의 설렘을 알아간다
고백의 순간을 노래하며
청춘의 시간을 아름답게 새겨놓는다

고양이

길가에서 불현듯 마주친 고양이 한 마리
시선을 피하지 않는 그 무심한 눈빛에 이끌려
나도 모르게 그 작은 존재를 깊이 바라보았다

조심스레 움직이긴 하나 그 자리를 떠나지 않는다
시간이 흘러도 변함없는 그 고요한 교감 속에 잠겨든다

처음엔 궁금했다 왜 나를 바라보고 있는가
배고픔을 달랠 무언가를 기대하는 건가
아니면 새로운 보금자리를 갈망하는 건가

한참을 사유에 잠겨있다 문득 깨달았다
그것은 내 마음 속 소리라는 것을

비록 손은 비었지만, 나누고 싶은 마음이 가득이었고
그 작은 존재를 내 삶으로 들여올지 고민 중이었다

나는 고양이가 아닌 내 마음속과 대화를 하고 있었다

사람과의 대화에서 저는 무의식적으로 상대방의 의중을 파악하려 애씁니다. 간단한 상황조차도 머릿속으로 복잡하게 분석을 해대죠. 이러한 과정은 대화의 순수한 기쁨을 빼앗고 저를 지치게 합니다. 그래서 가까운 이들과의 만남이 그토록 기다려집니다. 그 모든 과정이 걸러지니까요.

　이 피곤한 습관은 동물을 마주해도 마찬가지입니다. 이 작은 생명체는 지금 무슨 이유로 저런 행동을 하고 있을까 한참을 고민합니다. 내가 친근하게 보이나, 먹을 것을 달라는 건가, 등등. 그러나 곧 그들은 사람이 아니기에 아무리 예측해 봐도 의미가 없다는 사실을 새삼 깨닫습니다. 그래서 제가 예상했던 그 말들은 결국 제 마음속 소리라는 것도요.

　거꾸로 사람과의 대화에 다시 적용해 봅니다. 같은 사람이라 할지라도 저 사람과 나는 정말로 다른 삶을 살아왔을진대, 내가 예상하는 것이 얼마나 맞을까 하고 말이죠. 결국 이것도 내가 듣고 싶은 소리에 불과했구나! 하는 깨달음을 얻고 이제는 대화에 조금 덜 피곤해지기로 했습니다.

공간

방 한구석에 앉아 텅 빈 공간을 바라보니
넓어진 방 안의 공허함이 마음에 스며든다

가구들을 이리저리 옮기며 공간을 새롭게 단장하니
원초적 외로움이 새로운 벽들과 충돌하며
생각과 감정의 격렬한 파도를 형성한다

재구성된 공간은 마음의 풍경을 변화시키고
감정의 팔레트를 다채롭게 물들인다

이 낯선 익숙함 속에서 새로운 시작의 씨앗을 발견하고
공간의 여백 속에서 마음의 새로운 길을 그려본다

대학 시절에는 원룸이라는 좁은 공간에 제 세계를 꾹꾹 눌러 담았습니다. 한 몸을 누이기에는 딱 맞는 크기였고 불편함보다는 오히려 편안함을 느꼈습니다. 또한 집에 머무르는 시간이 적기도 했기에 그때의 저에게는 그만큼의 크기가 딱 맞았던 것 같습니다. 사회생활을 시작하고 이사할 때마다 방의 크기는 점차 커졌습니다. 집에서 보내는 시간이 늘어나고 가구들도 서서히 채워졌지요. 하지만 때때로 그 넓은 공간이 제 마음과 꼭 맞지 않는 듯한 허전함을 느낍니다. 방의 여유만큼 마음속 공허함도 깊어지는 듯합니다. 누군가 말했던 '방에서 나를 뺀 꼭 그만큼의 크기가 외로움으로 다가온다'라는 말이 공감되는 순간입니다.

　그럴 때면 저는 자리에서 일어나 구석으로 갑니다. 그리고 방의 전경을 한동안 바라보다 이내 결심합니다. 인테리어를 조금 바꿔보기로요. 마트에서 소품을 골라오고 온라인으로 새 커튼을 주문하고 컴퓨터의 위치도 옮겨봅니다. 그렇게 서툰 인테리어를 끝내고 나름 만족하며 사진 몇 장을 찍습니다. 뭐 그리 많이 바뀌었겠냐마는, 이전의 생각이 머물고 감정이 쉬어가던 장소가 조금씩 달라지니 새로운 기분이 듭니다. 물론 여전히 비어있는 공간에 대한 허전함은 지울 수 없지만요. 그럼에도 허전함의 모양은 인테리어를 통해 계속 바꿀 수 있으니 이렇게나마 대처해봅니다.

괜찮다

괜찮다는 말 한마디에
내 하루가 담겨있었다

괜찮다는 말 한마디에
너와 나를 다시 생각했다

괜찮다는 말 한마디엔
괜찮지 않은 내 마음이 담겨있었다

우리는 '괜찮다'라는 말을 자주 합니다. 정작 괜찮지 않음에도 말이죠. 언젠가 한 번 약속이 취소되고 나서 여러 생각이 들어 썼던 글입니다. 저는 소위 말하는 쿨한 성격이 아니라서 꽤 오랜 시간 생각에 잠겼었습니다.

저에게 약속을 잡는 것은 드문 일이기에 그만큼 더 마음을 쏟는 편입니다. 약속 날짜가 정해지면 그 순간부터 그날을 미리 상상해 보며 기대를 품죠. 하지만 갑작스러운 취소는 예기치 못한 혼란과 실망을 안겨줍니다. 예약을 취소한다거나 꺼냈던 옷을 다시 집어넣는다거나 와 같은 문제가 아닙니다. 이미 마음을 너무 써버린 탓이지요. 괜찮다고 말은 하지만 사실 제 마음은 괜찮지 않았습니다. 특히 그 이유가 납득하기 어려운 일이라면 그 섭섭함은 더욱 커지죠.

군대 에피소드 1 - 갈비와 맛동산

바깥세상에 대한 그리움이 극에 달할 때, 군인은 창의적이고 기상천외한 방법으로 그리움을 달랩니다. 어느 날, 선임이 물었습니다.

"야, 갈비 먹고 싶냐?"

갈비? 여기서 갈비라뇨, 내일 메뉴가 해물비빔소스여서 슬픈데..

"맛동산을 라이터로 구우면 갈비맛 난다. 쩔지?"

의심쩍긴 하지만 어딘가 모를 기대감이 솟구칩니다. 그동안 보아온 온갖 창의적인 기술들 때문이죠. 곧이어 선임이 맛동산을 라이터로 조심스럽게 굽기 시작합니다.

"어?"

놀랍게도 갈비 향이 나기 시작했습니다. '진짜 이게 될까?' 싶은 순간, 되긴 되더군요. 물론 0.5초만요. '이게 돼?'라는 생각이 '이'에서 끝난 아주 짧은 순간이었습니다. 맛은 어떠냐고요? 당연히 탄 과자 맛이죠. 0.5초 갈비 향(이었던 것) 맛동산이었습니다.

군대 에피소드 2 – 어린이날 선물(?)

군대에서는 간간이 유물(?)이 발견됩니다. 주말 생활관 청소 도중, 오래된 서랍장 뒤에서 한 권의 다이어리를 발견했습니다. '여기는 왜 아무도 안쓸었지..'하는 생각도 잠시, 그 먼지 쌓인 다이어리를 곧장 열어보았습니다. 초반 몇 페이지만 기록되었고 뒤에는 쭉 공백이었습니다. 글의 내용은 다음과 같습니다.

5월 4일 / 오늘은 눈을 쓸었다

5월 5일 / 오늘은 어린이날. 눈을 쓸었다. 또.. 쓸었다.

이 두 줄의 일기만이 마치 퍼즐 조각처럼 남겨져 있었습니다. '어린이날에 눈을 쓸었다고? 5월에??'라는 의심이 들었습니다. 아무리 여기가 강원도 구석이어도 5월까지 눈이 올 리가 있나 싶었습니다. 상식적으로 믿기 힘들었습니다.

어느덧 시간이 흘러 4월 28일이 되었습니다. 제가 군대에서 다이어리를 쓰기 시작한 날짜죠. 그리고 그 계기가 바로 '눈' 때문입니다. 그렇습니다. 진짜 눈이 왔습니다. 4월 28일까지. 제가 발견한 그 다이어리의 기록이 어쩌면 진실이었을지도 모르겠습니다. 나름 착하게 산다고 살았는데 이렇게 하늘에서 쓰레기를 내려주시다니....

그게 아니고

- 10cm -

청춘의 사랑은 어째서
이토록 찌질하게만 느껴지는지

그럼에도 그 찌질함이 싫지만은 않은 이유
청춘의 마음은 여느 때보다 고동치기에

상처를 피해 '쿨'한 척 해보지만
오히려 애정의 농도를 의심해 볼 일이 아닌지

함께한 그 모든 순간의 긍정을
'그게 아니고'라는 말로 덧씌워보지만

터져 나오는 감정의 파도에 못 이겨
결국 네 생각에 눈물을 흘린다고 실토하네

끊임없는 변명에도
이를 미워할 수 없는 것은
그것이 청춘의 사랑이니까

근황

- 가을방학 -

이별 직후 찾아오는 공백에
누군가 내 근황을 묻는다면
나는 무엇이라 답할까

이별의 감정을 시간순에 따른
감정의 변화로 그려낸다
순한 맛으로

순하기에
가장 절절하고
가장 단거리로 와닿는다

글쓰기

꿈속에서 꽃피운 '작가'라는 환상
마음 깊은 곳에 새겨진 무한한 이야기들

하지만 예상치 못한 깊고 어두운 바다
문장들이 파도처럼 나를 휘감고 요동쳤다

어린 자신감은 이제 저 멀리
겸손하게 글자를 하나씩 쌓아가며
한 줄, 한 줄에 진심을 담는다

매 순간 막막한 숲속에서 길을 찾듯
마음의 미로를 헤치며 나아갈
용기가 필요하다

오만했던 스스로를 뒤로하고
오늘도 한 글자씩 진실한 글을 짓겠다

글을 쓰기로 결심했을 때, 수년간 쌓아온 메모들을 보며 한편으로는 자신감이 넘쳤습니다. 이 작은 씨앗들이 풍성한 이야기로 피어날 것이라 확신했죠. 그러나 글로 옮기려는 순간 막막함에 부딪혔습니다. 간결한 메모들은 무성한 문장으로 마법처럼 변하지 않았고, 몇 번을 고쳐 써도 만족할 수 없었습니다. 이 과정에서 처음의 자신감은 점차 현실 인식으로 바뀌고 이는 새로운 출발점이 되었습니다.

메모에 담긴 아이디어를 세심하게 추려내고, 각각에 대해 심도 있는 글을 별도로 써 내려갔습니다. 과거의 메모와 현재의 생각을 비교하며, 저의 변화와 성장을 기록했습니다. 이 과정을 통해 생각과 감정의 깊이를 더욱 세밀하게 표현할 수 있게 되었습니다.

물론 또 다른 문제가 있었습니다. 수사적 표현은 몇 번을 고민해도 금방 한계에 봉착했습니다. 제 세상이 넓어져야 그만큼 표현도 다양해지리라는 것을 알기에 더더욱 고민이 깊어졌습니다. 그러던 중, 생각을 달리해 저만의 언어로 표현하기로 마음먹었습니다. 제가 좋아하는 자연을 가져다 쓰면서 가능한 한 솔직하고 담백하게 풀어내는 방식을 택했습니다.

이제야 글을 짓는다는 것이 조금씩 실감 나기 시작합니다. 앞으로도 진심을 담아 정성스럽게 글을 지어보겠습니다.

긴긴밤

- 블루파프리카 -

만남은 우연이지만, 헤어짐은 필연입니다. 사랑에 빠진 우리는 영원을 꿈꾸며 노래하지만, 그 꿈이 실현될 수 없음을 잘 알고 있습니다. 그렇기에 우리는 그저 말로만이라도 영원을 기원할 뿐입니다. 인간은 영생을 누릴 수 없기 때문에 헤어짐은 우리 삶에 반드시 찾아오는 순간입니다. 역설적이게도 그 이별의 순간에 다다라서야 영원을 약속할 수 있습니다. 함께하지 못하는 상태가 되어서야만 이별이란 개념도 지워버릴 수 있죠.

이별의 순간은 아주 짧게 느껴지기도 하고 노래 제목인 긴긴밤처럼 끝나지 않을 것 같기도 합니다. 그러나 그 밤은 기어코 끝이 나고야 말 것을 우리는 알고 있습니다. 터널이 끝나갈 때쯤엔 빛이 새어들 것이고 예전과 다른 삶으로 각자 걸어갈 테죠. 우리는 이별을 원하면서도 끝나지 않기를 바라는 복잡한 감정에 빠져있습니다. 함께했던 모든 추억과 감정을, 돌아서는 한 발자국마다 남겨두고 이제 각자의 길로 걸어갑니다. 앞으로 우리는 교차할 수 없는 영원한 길을 걸을 테고 그렇기에 우리는 영원을 약속할 수 있게 됩니다.

꽃

한 아름 꽃다발보다는
한 송이 장미를 더 좋아한다
대단한 준비 없이도 편하게 들고 갈 수 있는

내게는 사랑이 그러하다
편하게 설렐 수 있고
언제든 설렐 수 있는

그래서 한 송이 장미를 더 좋아한다
우린 오늘 기념일이라고 보여주는 것이 아니라
우린 오늘도 사랑하고 있다고 말하기에

풍성한 꽃다발은 일상에서 주고받기에는 다소 부담스러운 면이 있습니다. 물론 꽃다발을 받는 큰 기쁨을 잘 알고 있지만, 보다 의미 있는 날에 전하고 싶은 마음이 큽니다. 들고 다니기에도 불편하고요.

그에 반해 한 송이의 꽃은 언제든지 편하게 사서 선물할 수 있습니다. 가지고 다니는 데 부담도 없죠. 마치 놀이공원에서 풍선을 들고 다니듯, 붐비는 장소에서도 가볍게 들고 다닐 수 있습니다. 꽃을 받는 게 특별한 일이 아니라 평상시에도 이렇게 꽃을 받는다! 라는 느낌으로요.

사진에 은근히 집어넣기에도 좋습니다. 꽃다발은 본인이 주인공이 되지만, 한 송이 꽃은 구석에서 고고히 자리를 빛내줍니다. 이러한 이유로 저는 꽃다발보다는 꽃 한 송이가 더 마음에 듭니다.

날짜 없는 일기

어느 날, 날짜를 빼놓고 일기를 썼다
날짜는 과거를 붙잡는 책갈피
그날은 잊고 싶은 기억이었나보다

그렇게 날짜를 잃은 일기는
시간의 강을 따라 어디론가 떠내려갔다
그날의 감정과 기억도 파도에 씻겨 희미해졌다

그날의 나의 마음은
모래사장 위에 새긴 발자국처럼
조금씩 바람에 흩어져 사라져갔다

그래도 괜찮다
모든 추억을 간직할 필요는 없으니

종종 과거의 기억들이 흐릿해져서, 혹은 단순한 호기심에 일기장을 펼쳐보곤 합니다. 그 순간마다 추억 속으로 여행을 떠나며, 과거의 장면들이 마음속에서 마치 영화처럼 재현됩니다. 오래전 잊혔던 감정들이 다시 샘솟고, 묻어두었던 기억이 현재와 연결됩니다. 하지만 이 여정에 즐거움만 있는 것은 아닙니다. 때로는 아픈 기억들이 되살아나 마음을 불편하게 만들죠. 사람이 망각의 동물인 이유가 있습니다. 모든 것을 기억하기에는 우리의 뇌와 마음에 제한이 있습니다.

　　한 번은 일부러 날짜를 빼고 일기를 써보았습니다. 보통 과거를 회상하고자 할 때 우리는 날짜를 통해 그 추억을 찾으니까요. 마음의 상처를 종이 위에 써 내리면서도 그날의 고통을 기억 속에 남기고 싶지는 않았습니다. 이렇게 작성한 일기를 나중에 다시 보았을 때 저는 그 일이 언제 일어났는지 정확히 기억하지 못했습니다. 한참을 고민하던 중 그 기억은 점점 희미해졌고 그때의 감정마저 더 이상 저를 괴롭힐 수 없을 정도로 마모되었죠.

　　여러분도 비슷한 경험을 해보셨을지 모르겠습니다. 때로는 부담스럽고 힘든 감정을 어딘가에 남기고 싶을 때 날짜를 빼놓고 자유롭게 기록해 보시는 것을 추천해 드립니다.

내가 내 글에 하트를 누르는 이유

처음엔 두려움이 컸다
내 글에 아무도 반응하지 않을까 봐

SNS에 글을 쓰는 건 애써 기록용이라 하면서도
내 마음 깊은 곳에서는 남들의 인정을 바랐다

그래서 내 글에 가장 먼저 '좋아요'를 눌렀다
0과 1, 마치 전압의 유무처럼
내 작은 세계에 의미를 부여했다

때때로 나 자신을 위한 박수이기도 했다
조용한 자기 칭찬, 나만의 노력에 대한 인정이다

내 글을 가장 먼저 보는 것도
가장 먼저 '좋아요'를 누르는 것도 항상 나다
그 행위엔 자기연민과 함께 자기애가 담겨있다

SNS의 핵심은 결국 상호작용에 있다고 생각합니다. 자신을 드러내는 공간에서 아무런 기대 없이 활동한다는 것은 어쩌면 모순일지도 모릅니다. 처음엔 단순히 기록 목적으로 시작했지만, 실제로는 더 많은 것을 바라고 있었습니다. 만약 그렇지 않았다면, 남의 눈에 띄지 않는 곳에서만 기록했을 테니까요.

하지만 솔직히, 제 글에 대한 무관심이 두려웠습니다. 글이 단순한 데이터 조각으로 남을지, 아니면 최소한의 의미를 가질지의 문제였죠. 관심을 받지 못하는 글은 마치 배웅받지 못하고 떠나는 여행처럼 쓸쓸하게 느껴졌습니다. 그래서 글을 올린 직후, 제가 가장 먼저 '좋아요'를 눌렀습니다. 자기 자신에 대한 격려이자, 기울인 노력에 대한 칭찬으로 말이죠.

이 글을 통해 SNS에서의 인정과 관심에 대한 갈망, 그것이 충족되지 않을 때의 실망감을 표현하고자 했습니다. 그리고 저는 제 글에 대한 첫 반응을 스스로 제공함으로써 이러한 갈망과 실망 사이의 괴리를 메우려 하고 있습니다.

내비게이션

내비게이션의 목소리를 끄고
내 마음의 나침반을 따라
열망했던 삶의 길을 걷기로 했다

너라는 또 다른 목적지를 거부하고
나는 진정한 시작점에 서서
잃어버린 불씨와 별빛을 향한 여정을 시작한다

솔직함은 있으나 진실함이 부족한 나와
그 진실함을 일깨워준 너에게 안녕을 고하며

인생은 때로 우리 앞에 놓인 갈림길에서 특정한 방향으로 나아갈 것을 강요합니다. 우리는 종종 사회적 기대나 타인에게 영향을 받아 중요한 결정을 내리곤 하죠. 이 과정에서 막상 자신의 의사가 무시되는 것 같은 느낌을 받으며 무력감에 사로잡히기도 합니다. 그런 삶의 가운데, 누군가와의 만남과 이별은 전환점이 되어주기도 합니다.

　오랫동안 잊고 지내던 감정들을 되살려 준 의미 있는 인연을 통해 저는 기존의 관념에서 벗어나 새로운 길을 찾기 시작했습니다. 꿈꿔온 삶의 모습을 다시 그려보고, 망설임보다는 행동을 선택했죠. 그리고 그 선택은 진정한 자유와 해방감을 가져다주었습니다.

　이 글은 그러한 자아 발견의 순간을 담고 있는 글입니다. 또한 과거를 뒤로하는 이별의 의미도 포함되어 있습니다. 자신의 진정한 목소리를 듣고 따르는 것은 쉽지 않지만, 우리 모두에게는 자신만의 나침반과 별빛이 있습니다. 스스로 선택한 길을 걷는 여정이야말로 가장 소중한 여행이 될 것입니다.

눈

뜨겁고 거친 여름 바람 속
눈꽃의 부드러운 숨결을 그리며
설레는 마음에 기대어 앉는다

하얀 눈을 마음속에 그리며
첫 만남의 두근거림이
가슴에 새겨진다

여름이 노을로 물드는 경계에서
내 마음은 씨앗을 뿌리고
가을의 문턱에서 꿈을 엮기 시작한다

눈꽃이 무성히 피어날
그 계절을 기다리며

저는 사계절 중에 겨울을 가장 좋아합니다. 외출을 좋아하지 않는데, 반강제적으로 집에 오래 있게 되어서 그런 것 같습니다. 그러나 가장 매력적인 점은 겨울의 상징인 눈을 볼 수 있다는 것입니다. 하얀 눈은 차가움 속에 따스함과 포근함을 품고 있습니다. 눈이 천천히 내리는 모습을 바라보면 마치 세상의 시간이 느려지는 듯한 평온함을 느낍니다. 모든 것이 잠잠해지고 여유로워지는 그 순간이 바로 겨울이 주는 진정한 아름다움입니다.

여름이 한창일 때도 눈 내리는 풍경이 벌써 그리워집니다. 첫눈이 내리는 순간을 기다리는 저의 간절한 마음을 이 글에 담아봅니다.

달리기

나는 오늘도 달린다
일상의 무게와 기울어진 마음을 이겨내기 위해

우울한 그늘에 멈춘 시간 속에서
달리기는 역동과 전진, 열정을 전하며
주저앉은 시간을 잊게 한다

땀방울은 진실의 기쁨이며
움츠러든 나를 일으켜주는
의지와 결심의 증표다

세상 속에 나 홀로 제자리라고 생각될 때
나는 항상 달린다

인생을 살아가다 보면 가끔, 혼자만 제자리걸음을 하고 있다고 느낄 때가 있습니다. 그러나 우리는 결코 제자리에 머물 수 없습니다. 세상은 끊임없이 움직이기 때문에 우리는 그 흐름 속에서 전진하든 퇴보하든 둘 중 하나죠. 그래서 우리가 제자리에 있다고 느끼는 순간에도, 사실은 뒤처지지 않기 위해 끊임없이 노력하고 있는 것입니다. 다만 자신의 기대치에 부합하지 않아 제자리걸음처럼 보이는 것일 뿐이죠.

　그러나 이 사실이 마음에 충분한 위안을 주지는 못합니다. 그래서 우리는 좌절하기도 하고 자신을 깎아내리기도 합니다. 저는 그럴 때마다 달립니다. 운동이 주는 이점은 말할 것도 없거니와 달리기가 주는 상징성 때문입니다. 달리기는 앞으로 나아가는 운동입니다. 바람을 맞으며 근육의 피로를 이겨내면서 앞을 향해 나아갑니다. 목적지를 향해 한 걸음씩 밟아가며 결국엔 이뤄내고야 마는 이 달리기야말로, 주저앉아 있는 이에게 가장 큰 치유가 아닐지 생각해 봅니다.

도시의 밤

- 소울라이츠 -

그 흔한 약속 하나 없이
야근을 마치고 집에 가는 길

어떨 때는 저 번화가에 있는 수많은 인파가
밉다가도, 부럽다가도, 괜스레 설레는 날이 있다

여기저기 네온사인들
묘하게 어울리는 불 꺼진 시장도
번화가 다리 건너 조용한 동네도
이 시간에 바삐 움직이는 자동차들도

외로이 홀로 걸어가는 나에게
이토록 설렘을 주는구나

두통

마음 깊숙한 곳의 뒤엉킨 생각들
밤새도록 뛰노는 그림자 같은 것들
잠 못 드는 밤, 끝없는 사색의 바다에서
헤매고 있는 나의 영혼을 발견한다

대단한 것 없는 생각들
그러나 놓아버리기엔 아쉬움이 가득하여
마음에 살짝 묶어두었다

글로 흘려보내기 시작하면서
그 생각들은 마침내 풀려나가
나의 마음에 평화가 찾아왔다

생각의 무게를 글로 벗어던지면서
머릿속의 두통도 점차 사라진다

생각이 또 다른 생각을 물어오는 끝없는 밤이 많았습니다. 그림자처럼 얽히고설켜 잠 못 드는 밤이 계속되었죠. 각각의 생각들을 면밀히 살펴보면, 뭐 그리 대단한 생각들이라고 저를 괴롭혔는지 모르겠습니다. 그럼에도 놓아주지 못하고 하나하나 머리에 쌓아두고 있었죠. 이러한 사색은 하나의 재미였지만 한편으로는 상당한 피로감을 유발했습니다. 생각의 무게에 짓눌려 두통이 잦아지자 때로는 사색 자체가 두려워지기도 했죠.

글을 쓰게 된 것도 이러한 이유에서였습니다. 무질서하고 붙잡기 어려운 생각들을 글에 가두고 싶었죠. 놀랍게도 글쓰기를 통해 두통이 점차 줄어들었습니다. 잊어버릴까 두려워 무작정 붙잡고 있던 생각들을 기록하고 나니 마음이 한결 가벼워졌습니다. 무엇이든 버리기를 꺼리는 제 성격에 글쓰기는 아주 효과적인 치료법이었습니다.

우리의 마음과 생각엔 꼭 그만큼의 용량이 있습니다. 그래서 넘칠 때는 퍼내고 부족할 때는 채우며 적절히 관리해야 정신과 마음에 안정이 깃드는 것 같습니다.

물의 반영

달빛이 부드럽게 물결 위에 내리고
그 은은한 광채 속에서
잠들었던 감정이 깨어난다

달의 고요한 반영처럼
찬란하게 빛나는 사랑이
피아노 건반 위에서 부드럽게 퍼져간다
마치 호수에 떨어진 첫 노트처럼 선명하다

하지만 사랑이 언제나 그렇듯
물 위의 일렁임처럼 흔들리다
그렇게 빛으로 흩어진다

피아노를 취미로 하는(제가 봤을 땐 이미 취미의 수준이 아닙니다만) 후배의 추천으로 드뷔시에 한동안 빠져 있었습니다. 그중 '물의 반영'을 처음 접한 순간, 마치 시 한 편을 듣는 듯한 느낌을 받았습니다. 단순히 곡의 장면이 눈앞에 펼쳐지기보다는 마치 물감으로 한 폭의 수채화를 물들이는 과정처럼 한 편의 시를 지어가는 것 같았습니다.

동시에 저에겐 사랑이라는 감정이 곡의 진행에 따라 제 마음속에 그려지고 있었습니다. 물결의 반짝임과 빛의 교차가 만들어내는 미묘한 움직임과 속삭임은 사랑의 감정과 놀랍도록 유사했습니다. 그 안에 스며있는 특유의 고독감까지도 말이죠.

저는 피아니스트 조성진 님의 연주곡으로 처음 접했습니다. 여러분도 기회가 되신다면 꼭 들어보시길 바랍니다.

밤바다

한밤중 바다를 보았다
밤하늘보다 어둡고 별빛보다 고요한

낮에는 찬란했던 아름다움이
밤이 내리면 거울이 되어
내 마음을 비춘다

파도에 실려 오는 과거의 환호
잊혀가는 꿈의 파편
지나간 인연의 흔적
불확실한 미래에 대한 막막함
그것들 모두 밤바다의 품에 쏟아낸다

먹빛 파도가 모든 것을 삼켜주길 바라지만
내 마음의 질긴 인연과 잡히지 않는 꿈이
기어코 삐져나와 다시 집어 들게 만든다

내일도 다시 이곳으로 돌아와
바다에 던져야겠다

한밤중에 바다를 바라보는 것은 꽤 고상한 취미입니다. 밤바다는 조용한 상담사가 되어 저를 맞이하며, 그 고요함 속에서 제 감정을 정돈할 수 있게 해줍니다. 낮에는 사람들의 웃음소리로 가득했던 해변이 이제 고독의 품에 안겨 있습니다. 주기적으로 들려오는 파도 소리에 과거의 열정적인 순간들이 떠오르기도 하며, 바닷가에 부서지는 파도가 제 꿈의 파편들처럼 느껴지기도 합니다.

오랫동안 바다를 바라보면 점차 잊혀가는 옛 인연들이 마음을 스쳐 갑니다. 그들에 대한 그리움보다는 그저 흔적으로써 제 마음 한편에 남아있습니다. 그것들마저 저 파도와 바람에 쓸려갔으면 하는 바람입니다. 그런 생각에 잠겨 있으면, 미래에 대한 불안과 막막함도 떠오릅니다.

이 모든 것을 밤바다가 받아주길 바랍니다. 하지만 기어코 제 마음속에 남아있는 것은 그래도 아쉬웠던 인연들과 꿈들이 응어리가 되어서겠죠. 다시 버릴 것을 다짐합니다. 언젠가 저 바다가 품어줄 때까지.

백일몽

꿈과 현실이 맞닿은 곳
별들이 내리는 축복 아래
바람에 실려 오는 선율에 귀 기울인다

구름에 닻을 내리고 잠시 앉아
세상을 내 뜻대로 그려본다

찰나의 순간에 사계절이 지나가지만
별들의 속삭임은 여전히 끝나지 않는다

한순간 세찬 바람이 불어와
눈을 감았다 뜨니
모든 세계가 흩어지고
익숙한 풍경만이 남았다

그 무한한 꿈의 채색은
오직 별들만이 기억하리라

백일몽, 한낮에 꾸는 꿈이란 뜻입니다. 헛된 공상이라고도 하죠. 현실에서는 불필요한 사치로 여겨지곤 하지만, 그 안에서 느껴지는 쾌감은 이루 말할 수 없을 정도입니다. 특히 내 입맛대로 그려나갈 수만 있다면 더욱 그렇죠. 이 글은 그 순간의 감상을 담은 것입니다.

별과 우주, 자연에 대한 제 애정을 바탕으로, 제 백일몽은 항상 별들이 빛나고 바람이 부는 곳에서 시작합니다. 끊임없이 변화하는 배경을 바라보며 잠시 의식을 멈추고 도화지의 나머지 부분을 채우기 시작합니다. 현실에서는 상당한 시간이 필요할지라도, 그 꿈속에서는 순식간에 완성됩니다. 지우고 다시 그리기를 반복하며 변화무쌍한 나만의 세계를 창조합니다.

하지만 모든 공상의 여정은 현실로의 복귀로 마무리됩니다. 익숙한 공간과 눈앞의 일상이 다시 저를 부르고 그 꿈의 세계는 점점 멀어져갑니다. 하지만 그곳에 남겨진 별들이 제 세계를 기억해 줄 것입니다.

볶음밥

볶음밥 앞에 마주 앉아
여자 친구의 숟가락질을 바라만 본다

'살이 찐다'는 염려에
함께 맛보지 못한 행복

그렇게 먹지 못한 볶음밥은
쓴 추억으로 변해버렸다

이별이 조용히 찾아와
볶음밥 앞에 홀로 앉아있는 이 밤

빈 접시, 빈 의자, 빈 마음속에
미안함이 깊게 파인 흔적만이 남았다

입 안에 볶음밥을 한가득 넣으며
그 흔적 또한 삼켜본다

저는 사랑을 할 적에, 참 안 되는 것이 많았던 사람입니다. 피곤해서 안 되고, 살이 찌니까 안 되고, 시간 낭비니까 안 되고, 굳이 할 필요가 없으니 안 되고. 헤어진 후에, 못 해준 것들이 그리도 생각이 납니다. 분명 잘해줬던 것들도 있었겠지만 그것들은 이미 익숙한 일상이라 기억에 잘 남지 않습니다. 못 해줬던 것들이 더욱 기억에 남는 이유는, 그것들이 분명 가능했음에도 하지 않았기 때문입니다. 그게 '잘못'이니까 생각이 나는 게 아닌가 싶습니다.

사랑이 순조로울 때는 늘 경계해야 합니다. 평화로움에는 위험이 도사리고 있는 법이니까요. 한쪽이 더 많은 희생을 감수하고 있는지도 모릅니다. 사랑은 자연스럽게 흘러가는 것이 아니라, 두 사람이 노력하며 흘러가게 만드는 것입니다. 때로는 내가, 때로는 상대가 더 많은 힘을 써가며 사랑을 지키려 노력합니다. 하지만 균형이 무너져 어느 한쪽만이 힘을 쏟게 되면 결국 무너져버리게 됩니다. 다만 겉으로 볼 때는 무너지기 전까지는 평화로워 보이는 것이지요.

저와 같은 후회를 하지 않으시도록 가슴 아픈 사연 하나를 적어보았습니다. 사소한 순간의 행복을 인식하고 그 소중함을 되새기셨으면 좋겠습니다. 잃어버린 것에 대한 아픔이 우리를 더 성숙하게 만들지라도 잃어버리기 전에 외양간을 고치는 것이 때론 더 중요하니까요.

비

흐린 하늘 아래
무거운 구름이 무심코 쌓이고
아스팔트 악보 위로
빗방울이 조용히 연주를 시작한다

잔잔한 고요 속
그 속삭임이 너의 이름을 부르자
내 마음의 틈새에서 그리움이 일렁인다

그리운 그대를 찾아와
빗방울들이 우리의 대화를 재연한다

마음이 너무 부풀어 올라
창밖의 선율이 그치기만을 기다린다

안되겠다
사랑의 노래를 입에 머금고
비를 헤치며 너에게로 발걸음을 옮긴다

저는 비 오는 날씨를 좋아합니다. 창가에서 빗방울이 타닥거리는 소리에 귀 기울이며 책을 읽는 것은 제게 크나큰 행복입니다. 일기예보에서 비 소식을 접할 때면 마음이 벌써 들뜨기 시작합니다. 그런 날엔 집 안에 머무르며 비를 기다립니다. 비가 오는 날에는 사람들과의 만남도 피합니다. 오롯이 혼자 즐기고 싶기 때문이죠.

　장대비가 내리던 날, 그날도 저는 집에서 빗소리에 귀를 기울이며 시간을 보내고 있었죠. 한참 창밖의 골목을 바라보는데 뭉게뭉게 피어나는 그녀 생각에 갑자기 비가 못마땅해지기 시작했습니다. 비 내리는 날에 나가본 적이 거의 없는 저였기에 비가 그치기만을 기다렸습니다. 하지만 기다림은 금방 동이 나버렸고 바로 그녀에게로 향했습니다. 사랑은 사람을 변하게 한다는 말이 맞는 것 같습니다.

비관과 낙관

이성의 거울에 비친 비관의 얼굴
희망은 허상에 불과하고
구름처럼 가벼운 꿈은
현실의 중력에 이끌려 무너지리

그러나 의지는 우리를 밝히는 불씨
비관의 어둠을 뚫고
낙관의 새벽을 열어놓으리

결국 비관의 강물은
낙관의 바다로 흐른다

두려움 속에서도 믿음과 의지로
절망의 바다를 건너리라

'나의 지성은 비관주의적이지만, 나의 의지는 낙관주의적이다'. 안토니오 그람시가 로맹 롤랑의 말에 감동해 남긴 이 말은, 스톡데일의 역설을 연상시킵니다. 어떤 역경에 처했을 때 무조건 낙관하기보다는 현실을 직시하며 대처하는 것이 생존의 열쇠라는 것이죠.

우리는 본능적으로 부정보다는 긍정을 선호합니다. 그러나 무분별한 긍정은 자칫 위험할 수도 있습니다. 오히려 객관적으로 현실을 인식하고, 의지로써 그것을 극복해 나가는 것이 중요합니다. 낙관과 의지는 동의어가 아닙니다. 사람들은 종종 모든 것이 잘 풀릴 것이라고 말하곤 합니다. 물론 이러한 상황에서 비판적인 의견을 제시하면 'T발 C야?'라는 말을 들을 수 있습니다. 여기서 중요한 것은 이를 받아들이는 우리의 자세입니다. 불안한 마음으로 타인의 무조건적인 긍정을 찾기보다는 현재의 본인을 점검하는 것이 필요합니다. 잘될 거라는 막연한 생각보다 잘되게 하겠다는 의지로 말이죠. 내 마음이 어째서 불편한지, 그 원인이 무엇인지, 해결책은 있는지 검토하고 그 결과를 바탕으로 헤쳐 나가야 진정 다음으로 나아갈 수 있을 것입니다.

빈 여권

빈 여권에 담긴
무기력한 청춘의 잿빛 꿈
그것이 청춘을 재단하는 척도겠냐마는

세상을 향한 갈망이 있지만
무거운 발걸음으로 항상 제자리

이루지 못한 가슴 속 열정은
무늬만 찬란한 일상에
어둠만 드리운다

하지만 빈 여권 속
아직 채워지지 않은 페이지에서
청춘의 꿈을 새길 미래의 빛을 본다
그것은 곧 새로운 시작의 여백이 되리라

흔히 말하는 화려하고 아름다운 청춘에서 점점 멀어져가고 있다는 것을 느꼈습니다. 오래된 짐 속에서 발견한 여권이 이를 증명하는 것 같았죠. 물론 청춘을 평가하는 유일한 기준은 아니지만, 여권의 빈 페이지들은 저의 청춘이 회색빛이었다고 말하는 것 같았습니다.

이제는 청춘을 말하기에 조금은 부끄러운 나이에 접어들고 있습니다. 여권 속 대부분의 페이지는 여전히 비어있고 현실의 무게를 핑계 삼아 그것을 외면해 왔습니다.

하지만 이제 저는 새로운 시작을 결심하고 다시 여권을 손에 들었습니다. 꼭 멀리 여행을 떠날 것은 아니지만, 이제는 그 여백을 채울 때라고 생각합니다. 이 새로운 출발을 응원해 주시길 바라며, 저 또한 여러분의 모든 시작을 진심으로 응원하겠습니다.

사계절

일상의 반복에 지친 나를
계절의 향기로 달래려 했다

새로운 바람이 내게 줄 선물
계절의 변화는 희망의 시작이었다

옷장 속 새로운 옷들을 펼쳐보며
무명의 골목과 새로운 얼굴들을 찾아
기다려왔던 그 감정을 느껴보려 했다

하지만 요즈음 계절의 경계는 더욱 희미해져
나 역시 재미를 찾지 못한다

이를 핑계 삼아
나의 변하지 않는 일상을 위로하려 한다

새로운 변화를 다짐하지만 때때로 단순한 의지만으로는 충분치 않을 때가 있습니다. 그래서 저는 다가오는 계절의 변화에 기대곤 합니다.

계절이 바뀌면 일상의 많은 것들이 따라 바뀝니다. 날씨부터 시작해서 풍경, 사람들의 옷차림, 계절 행사, TV 프로그램까지 말이죠. 주변의 변화를 느끼며 저 역시 이불을 정리하고, 계절에 맞는 옷을 꺼내어 세탁합니다. 달라진 날씨에 빨래를 너는 시간도 조금 조정합니다. 그렇게 새 계절을 맞이할 준비를 하면서 자연스럽게 저 자신도 변화하게 됩니다. 큰 결심이 없더라도 기존의 일상에서 자연스레 탈피할 수 있죠.

그래서 근래의 사계절이 조금 아쉽게 느껴집니다. 계절의 경계가 모호해지고 그 기간도 편중되어 있기 때문입니다. 여름과 겨울이 길어지는데, 그 기간의 일상이 벌써 지겨워지는 것 같습니다. 하지만 반대로 생각하면 그만큼 봄과 가을이 달콤하고 소중하게 느껴집니다. 긴 기간의 일상을 열심히 살아내어 봄, 가을을 맞이해야겠습니다.

사제지간

가르침이란 크고 작은 것이 아니라
정겨운 사제지간의 우정에서 비롯되는 것
제자와 나눈 깊은 대화는 마음에 금언이 된다

상하 없는 길을 함께 걷고
시기 없는 바람 속을 함께 건너며
경쟁 없는 하늘 아래에서 그 시절을 함께 했다

어린 청춘의 뜨거운 꿈과
세상의 냉정함 속에
스승과 제자 사이 빛나는 우정이 있었다

둘 사이의 따스한 마음은 깊이
그리고 영원히 간직될 것이다

때때로 저를 미소 짓게 하는 특별한 인연이 있습니다, 순수함을 간직한 한 학생과의 만남이었죠. 마치 드라마나 만화의 주인공처럼 매력적이었습니다. 예쁘면서도 꾸밈없이 전해오는 말은 얼마나 사랑스럽게 자랐는지를 보여주었습니다. 그러면서도 항상 나아가려는 강한 의지와 깊은 고민을 안고 있었습니다. 단순히 사랑을 받는 것에 그치지 않고 삶을 아름답게 가꾸려는 노력은 저에게 큰 감동을 안겨주었습니다.

　그 학생과의 대화를 통해 저는 사람에 대한 믿음을 다시 갖게 되었습니다. 그리고 부끄럽지 않은 삶을 살려고 더 노력하게 되었죠. 제가 전하는 이야기에 더 깊은 진실함과 힘이 담기길 바라면서요.

　우리는 지금도 메신저를 통해 긴 대화를 나눕니다. 그리고 각자의 삶을 먼발치에서 응원하며 서로의 안부를 주고받습니다. 제 마음을 온전히 담아내기엔 아직 부족한 글이지만 그 친구에게 선물하는 마음으로 써보았습니다.

삼각김밥

헐떡이는 숨을 가다듬으며
편의점의 따스한 불빛 속으로 들어섰다

맥주 판매대로 향하던 중
그 옆에 눈길을 끄는 삼각김밥
어렴풋이 그립다

바쁜 아침의 대안, 눈물겨운 밤의 위안
허기짐을 달래주던 작은 행복, 술 한잔 후의 응급 처방

이제는 그 자리를 다른 이들이 차지했고
나는 더 이상 삼각김밥을 찾지 않는다

문득 자신을 돌아보니 나 역시 그것과 같은가
한때는 너무 소중했건만
이제 수많은 인연은 시간 속에 흩어져간다

괜스레 우울해져
빈손으로 편의점을 나왔다

퇴근길, 꺼져가는 신호등을 헐떡이며 건너고, 숨을 고르며 편의점에 들어섰습니다. 그날은 맥주 한잔을 하고 싶어서 저 안쪽으로 향하던 중이었죠. 가는 길 오른편에 도시락과 삼각김밥이 진열되어 있었습니다. 평소엔 별다른 생각 없이 지나쳤는데 그날따라 삼각김밥에 시선이 머물렀습니다.

대학교 신입생 시절, 삼각김밥과 라면으로 끼니를 때우던 기억, 술자리 후 탄수화물이 간절히 필요해서 술기운에 서너 개씩 사 들고 갔던 기억, 궁핍한 시절 혼자 쓸쓸히 먹었던 기억. 삼각김밥은 저와 많은 시간을 함께했고 참 많은 위로를 주었습니다. 그런데 이제는 그 자리를 대신할 것들이 너무 많아졌습니다.

문득 제 처지가 떠올랐습니다. 언제나 먼저 찾아주던 사람들, 별 고민 없이 만남을 약속했던 순간들. 하지만 이제는 그 모든 것들이 여과되어 몇몇 사람만 찾는 그런 존재가 되어버린 것만 같았습니다. 성인으로서 각자의 삶에 충실해지는 과정임을 알면서도, 그 과정이 그토록 가슴 아프게 느껴졌던 어느 저녁을 기록한 글입니다.

삼겹살

불꽃이 춤추는 불판 위에 삼겹살 한 덩이가 놓이면
세상의 소음을 잊게 하는 기름의 연주가 시작된다

갈색빛 변화는 마치 계절이 바뀌는 것처럼 경이롭기까지 하다
이윽고 퍼지는 고기 냄새는 내게 오랜 기억을 깨우며
사라져 가는 시간을 잠시 멈춘다

어린 시절 부모님이 구워주시던 기억
대학 시절 지갑을 털어서 먹었던 기억
여자친구의 입 크기에 맞게 잘라주던 기억

탁탁 거리는 소리에 짧은 회상을 끝낸다
기다림의 순간을 지나 김치와 함께 머금었을 때
그 풍부한 희열, 어떤 말로도 설명이 안되는 만족

모든 것이 정해진 수순처럼
그 하나의 조화로운 향연에서
나는 스스로를 잃어버렸다
(부제 : 폭식)

'삼겹살'이란 단어를 들으면 예전의 얇은 냉동 삼겹살이 먼저 떠오릅니다. 하지만 언젠가부터 두툼한 삼겹살이 그 자리를 대체하기 시작했습니다. 가득 찬 육향과 풍부한 맛은 거부하기 어려운 매력이죠. 그럼에도 때때로 그 얇디얇았던 냉동 삽겹살이 그리워지는 순간들이 있습니다.

두툼한 삼겹살을 한창 먹다 보면 이빨과 턱이 금세 지쳐버립니다. 파채도 야무지게 먹어야 하고 밥도 한 숟가락 듬뿍 퍼서 먹고 싶고, 소주도 한잔해야 하는데 말이죠. 그리고 거나하게 취해갈 때쯤 불판 위에 두꺼운 고기 몇 점이 남아있으면 젓가락이 쉬이 향하지 않습니다. 차라리 그 에너지로 술 몇 잔을 더 털어 넘기고 얘기 몇 번을 더 하고 말죠. 냉동 삼겹살이었으면 부담 없이 입으로 가져갔을 테죠. 또 쌈을 싸기에도 완벽합니다. 그 얇은 고기가 상추에 착 달라붙어서 이것저것 많이 넣을 수 있기 때문이죠. 이러한 이유로 가끔은 예전에 즐겨 먹던 냉동 삼겹살이 생각납니다.

이유가 어찌 되었든 그게 무어 중요하겠습니까. 삼겹살이란 주제 하나로 이렇게 흥분해서 글을 적고 있는 걸 보면 형태가 어떻든 삼겹살의 매혹이 어마어마한 것은 사실입니다. 오늘 저녁엔 삼겹살에 소주 한잔하러 가야겠습니다.

새벽

하루의 잠깐 속에
모든 것이 잠시 멈춘 듯한 시간

그 속에서 나는 세상의 중심이 되어
모든 가능성이 펼쳐지는 무대 위에 선다

도시의 소음이 사라진 고요 속에서
마음의 소리가 들려온다

자유로움과 무한함에 취해
현실의 무게를 잠시 내려놓는다

하지만 새벽의 마법이 사라지면
현실의 바람이 더욱 차갑게 느껴진다

그 짧은 순간의 꿈과 현실 사이
새벽이 주는 달콤함과 쓸쓸함을 맛본다

우리 모두 일상에 지칠 때가 있지만, 간간이 마주치는 특별한 순간들이 삶에 활력을 불어넣어 줍니다. 저에게 있어 새벽은 바로 그러한 선물입니다. 일상에 파묻혀 무한히 회전하는 톱니바퀴 같은 존재에서 벗어나, 주연을 맡은 무대로 올라가는 순간이죠. 동일한 풍경임에도 낮과는 다른 독특한 분위기가 묘한 설렘을 가져다줍니다. 눈치 볼 것도, 눈치 줄 일도 없는 세상에서, 가끔 뛰기도 하고 때로는 느리게 걸어 보기도 합니다. 이어폰을 귀에 꽂고 내 마음대로 풍경을 색칠하거나 그저 조용함을 만끽하기도 합니다.

하지만 '끝나지 않는 잔치는 없다'라는 말처럼 새벽은 오래 가지 않습니다. 이제 집으로 귀환하고 일상으로 돌아가야 할 때가 옵니다. 새벽 동안 느꼈던 잠깐의 자유는 이내 그리움과 쓸쓸함으로 바뀝니다. 그럼에도 새벽이 주는 달콤함 덕분에 다시 일상을 살아갈 힘을 얻습니다. 오늘 하루도 열심히 살아내어 내일 새벽을 맞이하렵니다.

새해

매듭짓지 못했던 많은 인연과
갈무리하지 못했던 수많은 생각과 감정들을
조금이나마 정리할 수 있기를

조금 더 강인한 마음을 가지고
스스로 솔직해지는 한 해가 되기를

새해가 다가올 즈음에는 지인들에게 오랜만에 연락을 취하곤 합니다. 한 해를 마무리하고 새해를 맞이하는 그 첫걸음이라고 생각하기 때문입니다. 소통이 뜸했거나 관계가 조금 어긋났던 사람들부터 연락합니다. 사람의 관계와 감정이란 것이 어찌 깔끔하게 매듭지어지겠습니까마는 그래도 모난 부분이 없도록 다듬고 싶어 하는 마음은 어쩔 수 없는 것 같습니다. 물론 다음의 좋은 기회로 넘겨야 하는 일도 종종 있습니다. 그래도 해볼 만큼은 해보는 것이지요.

저는 개인적인 고민들은 그때그때 정리를 하는 편입니다. 갈무리가 되지 않더라도 언제든 때만 맞으면 해치워버릴 수 있죠. 하지만 사람과의 일은 새해와 같은 특별한 시기에 그 힘을 빌려 해결하는 편입니다. 그래서 연말과 새해가 되면 자연스레 주변의 사람들부터 생각이 나는가 봅니다.

다가오는 해에는 이들에게 조금 더 진실한 모습으로 대할 것을 다짐합니다. 또한 스스로 흔들리지 않고 강인해지자고 마음먹습니다. 여러분들은 새해를 어떻게 맞이하고 계시는가요.

샤워

샤워기 아래에서
너와 처음 손을 맞잡던 순간을 떠올린다

갑작스러운 찬물이 이내 따뜻한 물로 변하듯
너와의 관계도 점차 온기로 가득 찼다

비누 거품이 내 피부를 감싸듯
너의 미소가 내 마음에 서서히 스며들었다

세상의 소음이 물속에 잦아들 듯
너와의 사랑 앞에선 모든 것이 부질없게 느껴졌다

물방울을 털어내도 온기가 남아있듯
너 역시 내 마음속에 은은하게 남아있다

사랑에 빠지면 평범했던 일상의 모든 순간이 그 사람으로 가득 찹니다. 의미 없이 반복되던 것들조차 새롭게 느껴지죠. 평소에는 그저 씻기 위한 행위일 뿐인 샤워도 사랑이 시작되면 그 의미가 변합니다.

온수로 변경하고 물을 틀면 처음에 잠깐 찬물이 나옵니다. 하지만 이내 따뜻한 물이 나오고 온도가 변하는 과정을 체험할 수 있죠. 이를 통해 사랑의 첫 순간을 표현해 보았습니다. 손을 잡는 첫 순간은 뜻밖의 긴장과 놀라움을 선사하며, 예상했던 따스함보다 더 강렬한 인상을 줍니다.

몸에 거품을 내고 샤워기 아래에서 물소리에 파묻히는 순간 또한 사랑의 그것에 비유해 보았습니다. 세상의 모든 것에 관심을 가지고 받아들일 수 있던 상태에서 이제는 한 사람과의 세상에 몰두하는 것이죠. 바깥세상의 소음은 더 이상 들리지 않게 됩니다.

수건으로 물을 닦아내도 몸에는 아직 온기가 남아있습니다. 사랑 또한 그러합니다. 사랑하는 사람과 떨어져 있더라도, 함께했던 순간의 따스함이 남아있기에 다시 만날 순간까지 견딜 수 있죠.

서울은 흐림

- 못 -

저 무거워 보이는 하늘 탓인지
기분도 몸도 착 가라앉은 하루

묘한 이 우울함은
우중충한 날씨 탓인지
우중충해 보이는 미래 탓인지
우중충했던 과거 탓인지

세상의 소음이 귀에 거슬려서
이어폰을 꽂고 노래를 찾아보는데

가사가 많으면 마음을 잃을 것 같고
소리가 많으면 감정을 놓칠 것 같아
선택한 이 곡

가사도, 소리도 많이 비었지만
그러기에 상념을 눕히기 좋은
'서울은 흐림'

선택

매체 속 주인공의 현명한 선택
작가의 손에서 탄생한 지혜

나는 이렇게 생각했다
현실에서 그렇게 완벽한 답이 어디 있으랴

현실은 선악의 강요가 아닌
매 순간의 작은 결정이 모여 삶을 이루는 것

선택을 너무 무겁게 여기지 말자
삶은 완성보다는 과정
그 어떤 선택도 결국 삶의 일부일 뿐이다

만약 제 삶이 영화로 제작되어 상영된다면, 아마도 저 자신이 가장 먼저 답답해서 뛰쳐나갈 것 같습니다. 현실의 많은 순간에 명쾌한 답을 찾지 못하고 결정을 뒤로 미루기 때문이죠. 그래서 작품 속 주인공들이 시원시원하게 문제를 해결하는 모습을 보면 한편으로는 부러움을 느끼면서도 다른 한편으로는 약간의 심술이 납니다. '에이, 어떻게 저리 쉽게 결정할 수 있냐?'며 말이죠.

현실은 명백한 선과 악으로 구분되지 않습니다. 그렇기에 선택이 어렵고 그 어려운 선택들이 이어지는 것이 삶이죠. 우리는 매 순간 선택의 무게를 짊어지고 있습니다. 그 때문에 작품 속 주인공들처럼 명확한 해답을 찾고 싶어 합니다. 하지만 그것은 창작물 속의 이상일 뿐, 현실의 복잡함과 예측 불가능성으로 인해 항상 만족스러운 결정을 내리기는 어렵습니다. 삶은 완성된 작품이 아니라 계속 칠해가는 과정이며 그림의 마지막을 장식하는 것도, 그 그림을 평가하는 것도 우리 자신입니다.

작품 속 주인공들과 비교하며 현실을 한탄하는 저 자신을 돌아보며 쓰게 된 글입니다. 매일 마주하는 선택이 얼마나 중요한지 깨닫지만, 동시에 그런 선택에 억눌리지 않을 것을 다시금 다짐합니다.

세상이 나를 미워할 때

세상의 풍파 속에서
내 마음은 파도에 휩쓸려 헤맸다
어린 나는 이렇게 외치곤 했다
'왜 하필 나냐고, 세상은 왜 나를 외면하냐고'

하지만 세월이 흘러
마음의 눈이 뜨이기 시작했다
본질은 물결 그 자체가 아니라
그 물결을 어떻게 헤엄치는가에 있었다

첫째, 세상의 속삭임에 귀 기울였다
'넌 이겨낼 수 있어, 더 강해질 수 있어'
마치 세상과 대화하듯
시련을 도전으로 받아들였다

둘째, 겉으로 여유를 부렸다
가끔은 자신을 속이는 것이
진정한 변화의 시작이 되기도 한다

불행은 꼭 자기들끼리 손잡고 찾아옵니다. 약속이라도 한 듯이 말이죠. 물론 저는 그런 약속을 잡지 않았으나 제 의사와는 상관없이 불청객들이 연이어 찾아옵니다. 그럴 때면 세상에 대한 원망이 솟구치곤 합니다. 왜 나에게 이러느냐고, 왜 나만 미워하냐고. 일이 잘 풀릴 것 같은 순간에 불행이 이어져 나타났습니다. 시간이 지나도 이 패턴은 바뀌지 않았죠.

그것이 이 세상의 불가항력적인 법칙이라면 그것을 이용하는 것이 이 세상에 응수하는 것이라 생각했습니다. 그래서 오기를 부렸죠. '그래 나를 얼마나 더 중히 쓰려고 이런 시련들을 계속 보내는지 한번 보자'. 마치 과업처럼 모든 시련들을 성장의 발판으로 삼는 자세로 접근했고, 그러한 생각이 저를 지탱해 주었습니다. 또한 여유로운 태도를 연습하기 시작했습니다. 궁핍함이 드러나면 마음도 가난해집니다. 그래서 일부러 여유를 부렸고 마치 지금의 모든 상황을 제어하고 있는 것처럼 행동했습니다. 이런 태도로 인해 마음도 제게 속아 점차 여유를 되찾기 시작했습니다.

물론 불행에 완전히 면역된 것은 아닙니다. 여전히 세상이 밉기도 하고 힘든 순간들도 있습니다. 그럼에도 이러한 방법을 통해 과거보다는 조금 더 나아졌기 때문에 이 경험과 생각을 여러분과 공유해보고 싶었습니다.

세 친구

누군가가 저에게 친한 친구가 몇 명이냐고 물어오면 저는 답변하는 데 조금 주저합니다. 이는 친구의 수를 세기에 시간이 부족해서가 아니라, 답할 수 있는 숫자가 명확하기 때문이죠. 특히, 제 삶에 항상 깊은 영감을 주는 두 명의 친구가 있습니다. 대학교 해외 교육 프로그램에서 인연을 맺은 우리는 함께 프레젠테이션 대회에 참가해 상을 받기도 했고 새로운 사업 아이디어를 모색하기도 했습니다.

셋의 성격이 각기 다르다는 것도 참 흥미로운 점입니다. 한 친구는 사람 자체가 밝으며 모든 이에게 사랑받는 타입입니다. 다른 친구는 진취적이고 현실적인 셈이 빠르며 결단력이 매우 뛰어납니다. 반면, 저는 이들과는 대척점에 서 있을 정도로 비판적이고 차분한 편입니다. 두 친구가 뛰어나갈 때 잠시 목덜미를 잡아서 방해하기도 하고, 다시 점검을 하기도 하죠. 이러한 성격 차이로 인해 우리의 삶은 서로 다른 궤적을 그리기 시작했고 이는 서로에게 새로운 시각을 제공해 주고 있습니다.

저는 이 두 친구 덕분에 삶을 꿋꿋하게 이어 나가고 있다고 자신 있게 말할 수 있습니다. 용기가 부족해 포기했던 길, 제가 궁금해했던 길을 그들은 멋지게 걸어가고 있습니다. 때로는 그들을 부러워하거나 저 자신이 부족해 보이기도 했지만 결국 이러한 감정은 저에게 동기가 되었고 그들과의 관계를 공고히 다져주었습니다. 저 역시 그들에게 들려줄 자랑스러운 이야기를 만들어 나가고자 다짐합니다.

시간이 흘러 우리가 모두 나이를 먹었고 그에 따른 삶의 방식이 변했습니다. 책임질 사람들도 생겨났죠. 예전만큼 자주 연락하지 못하고, 지역적 차이로 만남의 횟수도 줄었지만 그럼에도 여전히 그 친구들이 있어 저는 또 하루를 열심히 살아낼 수 있는 것 같습니다.

소개팅

카페 구석에서 책의 페이지를 넘기다
어느새 다가온 어색한 공기에 눈길을 돌려본다
저 멀리 젊은 두 마음이 조심스레 마주 앉는다

처음의 몇 마디는 조심스럽고 무거우나
곧 따스한 대화로 변모하리라
그들의 소곤거림은 풋풋함을 전한다

잠시 멈춘 듯한 세상 속
두 마음이 만나는 장면을 바라보며
그 설렘에 슬며시 편승해 본다

저녁 빛이 테이블 위로 스며들 때쯤
그들은 새로운 곳으로 발걸음을 옮긴다

예기치 못한 설렘을 준 저들의 순간을
시간의 사진첩 한편에 담아본다

그들의 앞길에 축복이 있기를

소란스러운 카페에서는 다른 테이블의 대화 내용이 귀에 쉽게 들어오지 않습니다. 그럼에도 귀를 기울여 듣고자 한다면 어느 정도 들을 수 있죠. 예의에 어긋나는 행동이기에 웬만하면 제 테이블에만 집중하려고 합니다. 하지만 어느 날, 조용한 카페의 구석에서 소개팅하는 남녀의 대화가 제 귀에 스며들어왔습니다.

처음엔 단지 배경 소음이었지만 곧 그들의 대화가 제 관심을 끌기 시작했습니다. 새로운 사랑이 시작될 수도 있는 그 긴장되고 설레는 순간을 무시하기엔 그 유혹이 너무나도 컸죠. 눈은 여전히 책에 고정되어 있었지만, 모든 신경은 그들의 대화에 집중했습니다. 가끔은 과거를 회상하며 혼자 답변을 고민해 보기도 했습니다.

시간이 흐르고 카페에 사람들이 늘어나면서 그들의 대화는 점차 들리지 않게 되었지만, 서로 웃고 있는 모습을 보며 저도 모르게 그들의 풋풋함에 설레었습니다. 비록 무심코 엿들은 대화였지만, 대신 그들의 앞날에 축복을 빌어 주었습니다.

아, 물론 다시 한번 말씀드리지만, 남의 이야기를 엿듣는 것은 바람직하지 못합니다.

소통

검은 물감에 젖은 대화
달빛처럼 차가워진 눈빛

서로를 알아보지 못하는 그림자
아니, 알아보려 하지 않는

자신만의 작은 세계 속에 갇힌 채
창밖의 풍경조차 볼 수 없는 고독에 빠져있다

서로의 눈빛마저 피해 가는
무채색의 대화는 이토록 허무하기만 하다

진심이 담긴 소통과 교감의 기억
그 온기로 가득한 날들을 어찌 잊었는가

단순히 말을 주고받는다고 하여 모두 소통이라 부를 수는 없을 겁니다. 서로의 감정과 생각을 깊이 이해하며 활기를 불어넣는 과정이야말로 진정한 소통이 아닐까 싶습니다. 그런 의미에서 저는 최근에 많은 반성을 하고 있습니다. 이 글은 현대 사회에서의 대인 관계에 대한 아쉬움과 더불어 자신을 되돌아보는 글이기도 합니다.

사람 간의 대화가 다채로운 빛깔과 같다면 얼마나 아름다울까요. 그러나 우리의 대화는 때때로 색깔이 없고 냉담한 말들로 채워져 있습니다. 마치 검은 물감으로 뒤덮인 캔버스처럼 말이죠.

그림자는 실제의 모습이 결여된 채 대략적인 윤곽만을 나타냅니다. 이를 통해 서로의 진정한 내면과 감정을 파악하지 못하는 상태를 비유해 보았습니다. 또한 이 상황이 외부적 요인이 아닌 우리 자신의 의지와 노력의 결핍에서 비롯된다고 생각했습니다.

이 글을 통해 소통의 부족과 그로 인한 공허함을 강조하고 싶었습니다. 관계의 피상적이고 비생산적인 측면을 드러냄으로써 다시 따뜻한 소통으로 나아가길 희망하는 글입니다.

손

글을 적다 문득
펜을 잡은 손을 무심히 바라본다

어린 시절의 맑음과 부드러움은
어디론가 사라져 버렸다

햇살 아래 순백했던 손끝에는
이제 굴곡진 시간의 흔적이 가득하다

상처와 주름은 내 삶의 시를 적어내며
지난 여정의 이야기를 속삭이고 있다

지난날의 깊은 숨결에 서글픔이 솟구치지만
꿋꿋이 걸어온 나날들에 자부심을 느낀다

주로 컴퓨터를 이용해 글을 작성하지만, 가끔은 원고지 위에 문장을 새기곤 합니다. 이 글은 어느 조용한 저녁, 펜을 잡은 제 손을 바라보다가 문득 영감을 얻어 쓰게 되었습니다. 손은 시간의 흐름이 가장 선명하게 드러나는 부분이라고 합니다. 곳곳에 박힌 굳은살과 아물지 않은 상처, 그리고 주름마저 져 있는 손을 보니 일순간에 서글퍼졌습니다.

공연을 하던 시절에는 손을 열심히 관리했었습니다. 농담으로 섬섬옥수라며 자랑하기도 했습니다. 그렇게 보드랍던 손에는 어느새 굴곡이 파여서 이전처럼 예쁘다고 말할 수 없게 되었습니다.

하지만 이는 마치 제 삶의 여정을 상징하는 것 같았습니다. 그렇게 순탄치만은 않았던 순간들이 주름과 상처가 되어 손에 새겨져 있는 것이었죠. 그 흔적들을 하나하나 되돌아보며 지나온 시간을 회상하고 현재를 깊이 성찰하는 시간을 가졌습니다. 그리고 험난한 시련 속에서도 무너지지 않고 걸어온 저 자신에게 자부심을 가지기로 했죠.

때로는 서글픈 사실들이 오늘날의 자신을 지탱해 주기도 합니다. 제 손에 새겨진 시간의 흔적처럼 우리 모두의 삶도 소중한 이야기로 가득 차 있기를, 그리고 그런 흔적을 사랑해 주기를 바라봅니다.

수식어

사랑이란 글자만 읽으리
수식어 없는 이름으로

시대의 풍조 따윈 흐르게 둔 채
오늘도 순수하게 사랑하리

순례자의 길을 걷는 듯
걸음은 느리되 정성스럽게

그렇게 오늘도
꾸밈없이 사랑하리

우리는 사랑에 이런저런 수식어 붙이기를 좋아합니다. 첫사랑, 짝사랑, 열정적인 사랑, 낭만적인 사랑, 깊은 사랑, 정신적 사랑, 현실적인 사랑, 우연한 사랑, 도전적인 사랑, 신비로운 사랑 등등

이렇게 수식어를 덧붙이는 것은 사랑의 가변성에 대한 불안한 마음이 반영된 것이 아닐지 생각해 봅니다. 사랑을 잡아두고 싶어서 조건을 달거나 더 특별한 사랑으로 꾸며보는 듯합니다.

하지만 사랑의 본질은 결코 변하지 않으며, 단지 시간이 흘러 우리의 마음이 변할 뿐입니다. 우리가 할 수 있는 것은 그저 하루하루 정성스럽게 사랑을 키워나가는 것뿐입니다. 조건을 두지 않고, 특별하게 꾸미지 않아도 그 자체로 충분히 소중하다는 것을 깨닫는 것이 중요합니다.

수용

나 자신을 알고자 하지만
또한 모르길 바란다

나는 생각보다 따뜻하지 않으며
도덕적이지 않고, 성실하지 않을 수 있다

내면의 욕망은 상상 이상으로 추악하고
감당하기 어려울 만큼 거대할 수도 있다

삶을 산다는 것은
그 모든 것을 수용할 수 있도록
성장해 가는 과정일지도 모른다

가끔은 저 자신이 누구인지 잊어버리는 순간들이 있습니다. 그래서 저는 명상을 통해 주기적으로 내면을 탐색합니다. 이 과정은 그렇게 낭만적이지만은 않습니다. 탐구가 깊어지면 저 자신을 용서하고 받아들여야 하는 순간에 직면하기 때문이죠.

　내면의 심연 속에는 원시적인 본능과 말로 형용하기 어려운 욕망, 그리고 자기혐오를 불러일으킬 수 있는 여러 요소가 잠재되어 있습니다. 이러한 어두운 측면과 마주하는 것은 무척이나 두렵고 혼란스러운 경험입니다. 스스로를 이해하고자 하지만, 동시에 그 불편한 진실로부터 눈을 돌리고 싶습니다.

　그러나 정면으로 마주한 후에야 비로소 그것들을 통제하며 성장할 수 있습니다. 인생을 살아가는 것은, 그 모든 것들을 담아내기 위한 여정일지도 모릅니다.

숨길 수 없어요

- 롤러코스터 -

마음이 하늘에 둥실 떠올라
별빛 사이를 노니며
너라는 우주에 빠져든다

아득하고 어지러운
이 기분의 소용돌이 속에서
너의 미소에 이끌려 헤엄친다

마법 같은 그 순간
너의 눈빛 속에 나를 던지고
말로는 형언할 수 없는
이 감각의 향연에 취한다

물결처럼 넘실거리는 이 마음
숨길 수 없는 이 마음

너를 좋아한다

시

비 오는 날
조용한 서점의 품에서
시의 세계에 발을 들여놓았다

약속을 앞둔 짧은 기다림 속
스며드는 시의 속삭임

외로움을 품은 찰나와 설렘 속에서
시는 감정의 틈을 따스하게 메워준다

하루의 시작과 끝
감정의 파도 사이에서
시는 끊어진 생각들을 잇는
다리가 되어준다

지금은 사라졌지만, 종각역 지하에 반디앤루니스라는 서점이 있었습니다. 그 당시 종로-종각 일대에서 약속이 잦았는데, 간혹 일찍 도착하거나 상대가 늦어지는 경우엔 그 서점에서 기다리곤 했죠. 실제로 그리 긴 시간은 아닙니다만, 잠깐의 무료함을 달래기 위해 서가를 누비며 다양한 책들을 뒤적였습니다. 하지만 진득하게 읽을 시간도, 마음의 여유도 없었기에 몇 줄 읽는 것이 고작이었죠.

　하지만 시는 그 짧은 시간에도 완결된 세계로 안내해 주었습니다. 약속을 기다리는 동안의 기대감과 약간의 짜증을 나눌 수 있는 완벽한 동반자였죠. 비 오는 날, 습한 공기를 느끼며 한쪽 팔에 우산을 끼고 시를 읽는 것은 꽤 매력적인 경험입니다. 시는 단순히 물리적 시간만 채우는 것이 아니라, 표현하기 어려워서 묻어두었던 감정을 담아내기도 합니다. 때로는 저 자신도 몰랐던 내면의 소리를 들려주기도 하죠.

　우리의 삶에는 잠시 비어있는 순간들이 존재합니다. 시는 그러한 일상의 공백을 메워주면서 위안과 통찰을 주는 따스한 친구와도 같습니다. 시를 좋아하게 된 제 이야기가 여러분에게도 시의 매력을 느낄 수 있는 계기가 되었으면 좋겠습니다.

시간

시간은 무자비하다
내 편도 네 편도 아니다

시간은 노력한다고 얻어지지 않으며
노력하지 않는다 해서 뺏어가지 않는다

시간은 무엇을 만들지도 않고
무엇을 요구하지도 않는다

시간은 그저 끊임없이 흐르는 강물처럼
무심하게, 그저 그렇게 흘러간다

이 글을 쓰게 된 계기는 별다른 것이 아닙니다. 평범한 새벽, 갑작스레 세상이 정지한 것처럼 저는 앞을 바라본 채로 멍을 때리기 시작했습니다. 아무런 생각이나 행동도 하지 않은 채 단순히 그 순간에 머물렀습니다. 의식의 끈을 붙잡지도 않았고 다른 생각에 잠길 이유도 찾지 못했습니다. 햇살이 방안에 비칠 때쯤 정신이 들었죠. 아무것도 하지 않음에도 시간은 여전히 잘 흘러가고 있음을 새삼 깨달았습니다.

시간은 저를 채근하지 않았습니다. 꾸짖지도 않았고, 그렇다고 칭찬하지도 않았습니다. 저를 바라본 것도 아니며 그렇다고 외면한 것도 아닙니다. 그저 흘러갔죠. 시간이 흘렀다고 무언가가 만들어진 것도 아닙니다. 그건 사람이 만든 것이지 시간이 만든 것이 아니죠. 또한 무엇을 필요로 하지도 않았습니다. 제가 멍을 때리는 그 순간에, 시간은 제게 멀지도 가깝지도 않은 곳에서 그저 흘러갔을 뿐입니다.

이를 통해 시간의 공정함과 무심함을 표현해 보고 싶었습니다. 시간은 객관적이고 평등하며 우리의 성공이나 실패와 관계없이 계속해서 흘러가는 배경입니다. 그러한 시간 속에 제가 마주하는 삶의 의미에 대한 묵상의 결과물이 이 글이라고 할 수 있겠습니다.

안부

만화와 게임으로 친해진 후배가 있다
얼마 전 대뜸 연락이 오더니 안부를 묻는다
'잘 지내고 있는 것 같아'라고 어색하게 대답했다

후배의 말에 오래 묻어두었던 감정들이 되살아난다
'괜찮지 않았구나'라는 생각이 스친다
잘 지내고 있긴 하지만 잘 지내오진 못했다

통화가 끝나고 미묘한 기분이 들어 곰곰이 생각해 본다
지난 일과 감정을 되새기고 나서야 다시 괜찮아짐을 느낀다
결국 괜찮다는 건 똑같지만 이전보다 훨씬 더 괜찮아졌다

안부 그 자체가 특별하다
단순히 상대의 상황을 묻는 것이 아니라
잘 지내길 바라는 기도와 소망을 담고 있다

우리는 누군가와 만날 때, 흔히 '잘 지냈어?' '밥 먹었니?' '요즘 어때?'와 같은 안부 인사로 대화를 시작합니다. 입에서 저절로 나오는 말이지만 만남을 부드럽게 여는 참 따뜻한 인사말이라고 생각합니다. 우리가 스스로 의식하지는 못해도 안부에는 상대의 안녕을 기원하는 마음이 깃들어있는 것이죠.

만화와 게임을 통해 친해져서 지금도 연락하고 지내는 대학 후배가 있습니다. 제가 주기적으로 안부를 묻고, 또 저의 안부를 물어봐 주는 소중한 인연입니다. 얼마전 그 후배가 뜬금없이 잘 지내냐고 물어왔습니다. 당연히 '잘 지내지'라고 답하려는데 선뜻 그 말이 나오지 않았습니다. 대신 '잘 지내고 있는 것 같아'라고 애매한 답을 했습니다. 이 대화를 통해 오랫동안 제자리에 묻어두었던 감정과 몇몇 일들이 떠올랐습니다. 그 후 스스로 감정을 정리할 수 있었고 통화가 종료된 후에는 '이제 잘 지내고 있어'라고 답할 수 있는 상태가 되었습니다.

누군가에게 안부를 묻는 것은 그 사람에게 대단히 중요한 일이 될 수도 있습니다. 안부를 묻고 싶고 전하고 싶은 인연이 있다면 지금 바로 연락해 보시는 건 어떨까요. 그 짧은 순간이 누군가에게 큰 의미가 될 수도 있으니까요.

야식

무한한 미식의 세계 앞에서
내 마음의 나침반은 방향을 잃었다
이정표 없는 교차로에서
어느 길을 택해야 하리

끝없이 반복되는 속삭임이 귓가를 적신다
밤의 숨결이 무거워질수록 고민의 바다도 깊어진다

'너는 뭘 원하는 거야' 내 배가 묻는다
'그럼 넌 뭘 원하는 건데' 내 혀에게 묻는다

그때,
익숙하면서도 낯선 매운 향이 뇌리에 떠오른다
그 은은한 유혹

그래, 오늘은 마라샹궈다

마라탕의 인기에 편승해서 몇 차례 시식에 나섰습니다. 그 특유의 얼얼함과 풍미에 매료되긴 했으나, 개인적으로는 국물을 선호하지 않는 편입니다. 그래서 마라샹궈에 도전하게 되었고, 얼마 동안 그 맛에 흠뻑 빠져 지냈습니다. 저에겐 이게 딱 맞더군요. 물론 간이 세기 때문에 자주 먹지는 않습니다만 가끔 생각나는 음식입니다.

요새는 야식을 거의 먹지 않지만 밤늦게까지 이어지는 작업 중에는 여지없이 유혹이 찾아옵니다. 꾹 참다가 한 달에 몇 번 정도는 못 이기는 척 넘어가 줍니다. 야식을 선택하는 것이 때로는 세상 모든 난제보다 더 심오하게 느껴집니다. 그렇게 밤이 깊어질수록 초조함이 커지며, 몇 번씩이나 이 메뉴 저 메뉴를 장바구니에 담아봅니다. 배는 어느 정도 고픈지, 혀는 무슨 맛을 원하는지 고민하다 결국 결정합니다. 마라샹궈로 말이죠.

야식을 고르는 데 너무 많은 힘을 쏟은 것 아닌가 하는 생각이 들지만서도, 미식에 대한 무한한 사랑을 고려하면 그 정도 가치 있는 고민이었던 것 같습니다. 여러분은 오늘 어떤 야식으로 결정하셨는지요.

연극이 끝난 후

- 샤프 -

연극의 마지막 장면이 막을 내리고
현실로 돌아오는 길은 언제나 멀게만 느껴진다

무대 위의 이야기에 빠져
현실과 꿈 사이를 헤매다
연극이 끝난 후 남는 것은 그저 깊은 공허함

그 허전함을 아름다운 멜로디로 달래주는 노래
공연의 여운을 달래주고 빈 감정을 채워준다
연극이 끝나도 내 안의 무대는 계속된다

연말

연말의 고요한 속삭임이 찾아와
버겁던 일상에 잠시 쉼표를 찍는다

특별한 약속 없이도 마음만은 부유해
올해의 마지막 날을 소박하게 기다린다

대단한 마무리가 없더라도
작은 성취에 감사를 담아
슬픔은 올해의 끝자락에 놓고
희망의 새 페이지를 펼친다

한 해 동안의 넋두리
다가올 해의 꿈으로 물들여
연말이 안겨준 작은 위안 속에서
새로운 시작을 마음속에 그려본다

성큼 다가온 연말 소식에 일상의 분주함 속에서 작은 설렘을 느낍니다. 평범하고 비슷해 보이는 365일 중에서도 연말은 마치 특별한 무언가를 약속하는 듯합니다. 잠시 달력을 훑어보며 여전히 비어있는 날짜들을 발견합니다. 평소에 연락이 뜸했던 사람들에게도 이 시기에는 용기를 내어 안부를 전할 수 있습니다. 그렇게 달력의 날짜들이 하나씩 의미를 갖게 됩니다. 요새는 약속을 잡지 않는 편이라 예전에 비하면 많은 날들이 공백으로 남아있습니다. 그럼에도 연말이 가져다주는 따스함으로 마음이 가득 차오르는 것을 느낍니다.

  올 한 해를 돌아보며 반성의 시간도 가지고, 또 이뤘었던 작은 성취들에 자부심을 느끼기도 합니다. 제게는 이 책을 찍어낸 것이 가장 큰 성과입니다. 오랜 기간 미루어왔던 작업을 마무리 지으며 이제 다음 단계로 나아갈 수 있다는 생각에 힘이 솟아납니다. 이 과정에 함께해주고 계시는 여러분에게 진심으로 감사의 인사를 전합니다.

  이 글은 연말이 주는 소소하고 행복한 느낌을 여러분과 나누고자 쓰게 되었습니다. 물론, 이 글을 실제로 읽는 시점과 시차는 있겠지만, 연말의 마법 같은 분위기가 여러분에게도 전해지기를 희망합니다.

연애편지

지난 연애편지를 읽으며
가슴 속 움킨 상처를 보았다

과분했던 사랑의 무게
미숙이란 말로 차마 담아낼 수 없는 상처

여인의 사랑, 꿈꾸었던 미래
잊힌 사랑, 먼지 쌓인 추억의 파편
아련한 사랑, 저물어 가는 향기

부서진 그 조각들이
나를 죄스럽게 만들며
한여름 밤의 꿈처럼 지나간다

이제 울컥거리는 감정은
가을 단풍의 선율로 변하리
시간의 강을 건너 다시 사랑을 노래할 테지

사랑이 불시착하게 되면 깊은 반성에 잠기곤 합니다. 그 과정에서 자주 발견할 수 있는 것은 귀책 사유가 대체로 저에게 있었다는 점입니다. 그럼에도 매번 '이번엔 다를 것'이라고 다짐하며 새로운 사랑의 여정을 준비합니다.

사랑이 지나간 흔적을 남기지 않는 편이라 생각했는데, 어느 날 오래된 짐 속에서 미처 정리하지 못한 연애편지를 몇 통 발견했습니다. 그리고 잠시 바닥에 앉아 훑어보기 시작했고 잠시 후 하나의 사실을 깨닫게 됐죠. 아, 나는 변하지 않는 사람이었구나, 늘 같은 실수를 하는 사람이었구나. 가슴이 먹먹해져 편지를 온전히 읽지 못하고 서둘러 정리합니다. 편지를 휴지통에 버리려다가 잠시 망설입니다. 나를 머뭇거리게 하는 이유는 무엇일지 고민해 봅니다. 미안함, 아쉬움, 그리움.. 이 모든 감정이 뒤섞여 마음을 죄스럽게 만듭니다. 이것 또한 잠시의 추억으로 지나쳐 갈 테지만, 그 추억의 색이 그리 아름답지 못한 것은 참으로 안타까운 따름입니다.

이제는 그 모든 것을 놓아주어야 할 때입니다. 다음이라고 다를까 싶으면서도 새로운 사랑을 노래할 준비를 합니다. 이번엔 목적지까지 갈 수 있기를 바라며.

연착

동창회의 어스름한 불빛 아래
오래전, 좋아했던 친구와 재회했다

이런저런 말이 오가는 중
'아, 나도 그때 너 좋아했었는데'

이미 흘러간 시간 속
장난 같은 회한

어색한 침묵 속
단순한 감정의 잔영을 넘어선
연착된 사랑에 대한 고뇌

시간은 흐르고
이야기는 사라지고
어제와 오늘이 조용히 녹아든다

세월이 흐르고 이제는 동창회가 낯설지 않은 나이가 되었습니다. 변한 친구들의 얼굴 속에서 과거의 그림자를 찾기란 쉽지 않습니다. 그들과 가물가물한 추억들을 모아 이야기의 조각들을 이어갔습니다. 깊어져 가는 밤, 삼삼오오 자리가 나뉘고 우리는 술잔을 기울이며 과거를 더듬어갔습니다.

　예전에 좋아했던 그녀, 나름의 고백도 해보았지만, 결국 실패했던 기억이 있습니다. 그 실패조차도 희미해져, 첫 고백의 아픔만이 어렴풋이 남아있습니다. 그 이야기를 웃으며 나누던 중, '아, 나도 너를 좋아했었는데'라는 뜻밖의 말이 제 마음에 일순간 여운을 남겼습니다. 어른이 된 우리가 지나간 이야기를 나누는 것이 별 뜻이야 있겠습니까마는, 항상 연착되는 것 같은 제 사랑에 또 하나의 사례가 추가되는 순간이었습니다. 그 말을 듣고는 시간이 거꾸로 흘러가는 듯한 느낌을 받았습니다. 생각해 보면 그랬습니다. 제 사랑은 항상 뒤늦게 메아리를 되돌려주었습니다. 당시에는 그렇게 공허한 외침이었는데 말이죠. 이미 들을 수 없는 상태에서, 그것은 한편으로는 고마움을 느끼면서도, 다른 한편으로는 '왜 이제야, 왜 굳이'라는 생각을 하게 만들었습니다.

　이 글은 그러한 감정의 여운과 그것을 넘어선 고뇌를 담아내려 했습니다. 하지만 아무리 연착되어도 결국은 도착하거나 다음의 열차가 있기에 크게 아쉬워하지 않기로 했습니다.

열정

내 마음의 용광로는
뜨거운 태양처럼 모든 것을 삼켜버리곤 했다

타오르는 불꽃이 모든 것을 태우고
남겨진 것은 한 줌의 재
공허한 울림만이 남는다

어떻게 다시 불꽃을 지피리
텅 빈 곳을 어찌 채우리

고민 끝에 찾은 해답
열정을 나누고 균형을 찾는 것

한결같이 달려들던 나에겐
막상 한결같음이 부족했다

열정은 때론 차갑게 식혀야
오랫동안 타오른다

저는 종종 갑작스러운 아이디어에 휩쓸려 한꺼번에 모든 열정을 쏟아내며 작업에 몰두합니다. 그런 순간에는 기본적인 식사와 휴식조차 잊고 한계에 달할 때까지 그 일에 집중하곤 하죠. 하지만 그렇게 열정을 쏟아붓고 나면 다음 스파크가 튀기 전까지 에너지가 완전히 고갈되어 있습니다. 그래서 기존의 작업을 계속 끌어 나가지 못하게 되어버립니다. 이런 방식이 반복되다 보니 나중에 돌이켜보면 정작 제대로 된 완성품이 하나도 없었습니다. 많은 것들을 시작했지만 모두 중간에 멈춘 채였죠. 열정을 너무 일찍 소진하니 남은 것은 공허함과 후회뿐이었습니다.

그래서 제 해답은 열정을 분배하고 균형을 찾는 것이었습니다. 저에게 필요한 것은 열정을 조절하는 능력이었죠. 저는 초반에 많은 것을 하려 했으나 사실 모든 일에는 순서와 때가 있습니다. 열정을 일찍 쏟아붓는 것은 간혹 무위로 돌아가기도 합니다. 그래서 저는 일상의 리듬을 유지하며 정해진 시간에만 집중하는 방식을 택했습니다. 그렇게 저의 단점을 개선해 나갈 수 있었습니다.

저처럼 과도한 열정으로 자신을 고갈시키는 분들이 계신다면 제 이야기가 도움이 되었으면 좋겠습니다. 열정은 잘 관리하고 분배하여 지속 가능케 유지하는 것이 중요합니다. 본연의 자신을 잃지 않기를 바랍니다.

오늘도 무사히

- 장기하와 얼굴들 -

빛바랜 위로는
내 입술의 가장자리에 걸린
반쯤 진실, 반쯤 거짓으로 짜인 미소

흐린 하늘 아래
너의 붉어진 두 볼을 쓰다듬지만
결국 나는, 그저 좋은 사람 행세를 한다

또다시 진실의 밤이 찾아오면
나는 네 생각을 뒤로한 채
안도의 한숨을 내쉰다

오늘도 무사히

본 페이지는 일상의 도덕과 진정성의 틀을 잠시 벗어나는 공간임을 미리 알려드립니다.

사랑은 때때로 이성적 도덕의 경계를 넘나들며 우리의 마음이 항상 순수한 원칙을 따르지 않음을 상기시킵니다. 그 과정에서 사랑은 일관성을 잃고 거짓을 말하며 현상 유지에 급급할 때도 있죠. 오래된 사랑이 처음의 모습과 같기란 어렵습니다. 대신 흉내를 내기에 급급하죠. 그 필연적인 변화에 우리가 어떻게 대응하느냐에 따라 다양한 결과를 경험합니다. 궤도를 유지하기 위해 애쓰기도 하지만 때로는 탈선을 방치하거나 심지어 바라기도 합니다.

위기의 순간 우리는 모순된 감정에 휩싸이게 됩니다. 연인의 변함없는 애정 어린 눈빛이 이러한 모순을 더욱 깊게 만들기도 합니다. '사랑'이라는 허울을 유지하기 위해 스스로를 속이며 또다시 하루를 '무사히' 넘어갔음에 감사합니다. 그럴수록 죄책감과 도망가고픈 충동은 커져만 갑니다.

놀랍게도, 이런 상황은 한쪽만의 문제가 아닐 수도 있습니다. 거짓된 사랑의 눈빛을 보내는 것이 양쪽 모두일 수 있으며, 억지로 사랑을 유지하는 두 사람 모두 본인의 처지에 곤란해할 수도 있다는 거죠.

오버워치

경쟁이라는 단어는, 제 삶에서 오랫동안 피해 오던 그림자였습니다. 게임 속에서조차 평화로운 여행과 집 꾸미기, 약한 몬스터 사냥에만 몰두했죠. 어릴 적 유행하던 '스타크래프트'나 '롤'과 같은 게임들도 전혀 하지 않았습니다. 그때는 지도상의 어두운 부분이 무서워서 그랬는데, 지금 생각해 보면 승리와 패배에 따른 감정들이 그저 두려웠던 것 같습니다.

대학을 졸업하고 취업 준비에 지쳐가던 시절, '오버워치'라는 게임이 출시되었고 곧이어 엄청난 인기를 끌었습니다. 그리고 곧 저의 현실도피처가 되었죠. 하지만 도망친 그곳에 저를 기다리고 있던 것은 바로 경쟁이었습니다. 그것도 총싸움이라는, 인생에서 한 번도 해보지 않았던 방식으로 말이죠. 자꾸 도망만 다니는 스스로가 답답하고 한심해 보여서 이 게임만큼은 오기로라도 극복해야겠다는 생각이 들었습니다. 현실이 차갑고 아플수록 게임에 접속하는 시간이 길어져만 갔습니다.

승리의 순간은 짜릿한 쾌감을, 패배는 참을 수 없는 분노를 가져왔습니다. 공략을 찾아보고, 심지어는 게임에 대해 공부까지 했습니다. 그리고 마침내 목표했던 등급에 도달한 후, 게임에 접속하는 시간은 자연스레 줄어들었습니다. 그 이상의 등급은 '벽'이 느껴지기도 했지만, 더 중요한 것은 현실을 직시할 용기를 얻어서였습니다.

　미지의 두려움에 떨던 저는, 막상 그것의 실체를 알게 되자 마주할 용기가 생겨난 것입니다. 경쟁을 피해 도착한 곳에서 오히려 경쟁을 즐기는 법을 배웠습니다. 남들과 경쟁하며 갖가지 감정을 온전히 느끼며 극복해 나갔던 그 경험들이 저를 현실로 끄집어내 주었습니다.

오예스 '미니'

평소엔 집어 들지 않던 과자
맛은 그대로, 크기만이 줄어든 저 오예스 미니를
벌써 몇 개째 입 안에 넣고 있다

크기의 변화가 불러온 것은
부담감의 해방이었나

사소한 차이는 간혹
큰 변화를 불러온다

삶의 거대한 고민을 작은 크기로 잘라
한 조각씩 천천히, 그렇게 해치우면 되지 않을까

항상 다이어트 중이라 과자와 같은 간식을 피하는 편입니다. 그러나 긴 작업 시간 동안에는 저도 모르게 한 두 개씩 집어먹곤 합니다. 보통은 견과류나 작은 초코바로 대체하고 오예스와 같은 과자는 절대 손대지 않았습니다.

 하루는 사무실에 오예스 '미니'가 놓여 있었습니다. 손바닥 안에 쏙 들어갈 만큼 작은 크기였죠. '미니' 크기로 출시한 것이 신기하기도 하고 그 작은 크기만큼 줄어든 칼로리 생각에 '하나만 먹어보자' 생각했습니다. 한입에 넣고 입천장으로 살짝 누르기만 해도 사르르 녹아내렸죠. 아주 짧은 순간에 벌어진 일이었습니다. 작업을 마치고 나니, 책상 위에 과자 포장지가 여럿 흩어져 있었습니다. 평소에 과자를 보면 과자를 씹는 과정부터 시작해서 칼로리까지 갖은 걱정을 하며 피합니다. 하지만 그 작은 크기가 저의 경계심을 누그러뜨렸습니다. '부담이 되지 않으니까 한번 먹어봐' 말하는 것 같았죠.

 간단한 크기 변화가 사람의 마음을 움직이는 데 힘이 있었습니다. 이것이 삶에도 적용될 수 있겠다는 생각이 들었습니다. 우리가 마주하는 거대한 고민도 이처럼 작게 나누어 생각한다면 마음의 부담도 줄어들지 않을까? 라는 생각을 면죄부 삼으며 다이어트 실패를 변명하는 글입니다.

오후 세 시

그런 날이 있다
현실과는 한 발짝 떨어진 듯한 느낌을 받는

그런 날이 있다
뭐 하나 손에 잡히지 않고
생각이 정처 없이 유영하는

그런 날이 있다
마음 한편이 허전한데
어찌할 줄 모르겠는

그런 사람이 있다
이런 날 잡아주는

아, 그래
널 보고 싶었구나

평일 오후 세 시가 되면, 특히나 그 시간대에만 느껴지는 특유의 감정이 있습니다. 점심 식사 후 열심히 일하다가도, 이 시간쯤 되면 집중력이 흐트러지고 업무에 손이 잘 가지 않습니다. 퇴근을 앞둔 다섯 시부터는 다시 업무에 집중하지만, 이 오후 세 시가 참 문제란 말이죠. 그 순간은 나른함과 휴식에 대한 갈망, 어딘가의 공허함이 교차하는 시간입니다.

그럴 땐 항상 누군가를 보고 싶습니다. 사람이 그리운 것인지 확신할 순 없지만, 오랜만에 연락처를 뒤적거립니다. 누군가에게 안부 인사를 건네지만, 몇 마디 형식적인 인사만 오갈 뿐, K-약속을 잡고 나서는 다시 마음이 붕 뜹니다.

그 순간, 그녀에게 메시지가 도착해 있습니다. 비어있던 마음 한쪽이 그녀의 존재로 가득 차오릅니다. 직장 스트레스를 공유하고 오늘 데이트 코스를 다시 확인합니다. 그렇게 저를 어딘가로 떠다니지 못하게 잡아주는 것이 바로 그녀입니다.

와인

한 잔의 와인
사랑의 깊은 색을 닮은 적색의 호수
겹겹이 쌓인 추억들은
아름답지만, 얽히고설킨 실타래

한 모금
은은한 비처럼 내 세상을 적신다
무심한 시선 사이로 스며드는 향기
닿을 수 없는 마음의 거리
가깝지만 먼, 그 아스라한 풍경

한마디의 말과 한 번의 스침으로는
그 특별한 감정을 전하기엔 부족한 채
숨겨진 사랑의 씨앗은
한 잔의 와인으로만 발현된다

부딪히는 잔, 서로를 바라보는 눈빛은
말하지 못한 그리움의 바다가 되고
흘러가는 시간 속에 슬픔은 묻혀간다

만약 모든 사랑이 반드시 이루어진다면 어떨까요. 막상 그렇게 되면 사랑은 본질을 상실하게 될지도 모릅니다. 그런 세계에서는 사랑의 애틋함과 간절함이 희석되어 버리겠죠. 하지만 말은 이렇게 해도, 현실에서 이루어지지 못하는 사랑은 종종 감당하기 힘들 정도로 아려옵니다.

와인은 단순한 비유가 아닌 실제 경험에서 우러나온 소재입니다. 저는 한때 가까운 이에게 마음이 있었고, 그 사람과 함께 와인을 마시며 보냈던 시간을 회상하며 이 글을 썼습니다. 당시의 모든 상황이 복잡했고 제 마음을 전하기 어려웠습니다. 지금 돌이켜보니, 상대방도 제 마음을 어렴풋이 알고 있었던 것 같습니다. 그 시절의 대화와 만남이 이제야 이해됩니다. 우리는 어찌할 수 없는 상황에 놓여있었습니다.

제 표현의 한계로 인해 당시의 상황과 감정을 완전히 옮겨 적을 수 없는 것이 아쉽습니다. 사랑의 복잡함과 그리움, 그리고 시간에 의해 희석될지라도 그 순간의 영원성과 같은 것을 표현해 보고 싶었습니다.

유자차

유자차 먹고 갈래?

하얀 눈이 내려앉은 겨울 캠퍼스
호수가 얼어붙은 그곳에서
그녀에게 첫마디를 건넸다

유자차 한 잔에 담긴 둘만의 시간
그렇게 우리의 사랑이 시작됐다

달콤하고 쌉싸름한 유자의 맛처럼
사랑은 달콤함으로 시작해
서서히 깊은 쓴맛의 여운을 남긴다

때로는 쓰라린 순간을 마주하지만
입 안에 남은 달콤함이 그 모든 아픔을 녹인다

매서운 겨울이 돌아올 때마다
유자차와 함께하던
그날의 추억이 떠오른다

'라면 먹고 갈래'라는 유명한 대사가 있지만 저는 그 대신 '유자차 먹고 갈래'라고 물어본 적이 있습니다. 그날은 추운 겨울날이었고, 따뜻한 유자차 한 잔의 의미는 단순히 이성을 유혹하는 것이 아닌, 진심에서 우러나온 배려였죠. 유자차는 저에게 겨울철 필수 아이템입니다. 특히 유자 건더기가 섞인 유자차를 선호하는데, 그 쓴맛과 달콤함이 번갈아 나타나는 순간들이 마음에 듭니다.

이러한 유자차의 맛은 오래된 사랑과 닮았다고 생각했습니다. 처음엔 달콤하던 순간들이 점점 현실의 쓰라림과 마주하며 쌉싸름해집니다. 하지만 그 사이사이 찾아오는 연인만의 달콤한 순간들이 우리를 견디게 해주죠. 이렇게 적어 내려가다 보니, 비단 사랑뿐만 아니라 인생 전반에도 적용되는 것 같습니다. 어쩌면 그래서 유자차를 좋아하는 것일지도요.

이번 글에서는 한겨울 유자차와 함께 시작된 사랑과 그 본질을 탐구해 보았습니다. 여러분의 사랑과 인생에도 이와 같은 순간들이 있었는지, 또 이성에게 호감을 표현할 때는 어떤 말을 하시는지 궁금해지네요.

음악 : 삶의 필터

카메라의 필터로 세상이 재탄생되듯
음악은 삶을 다채로운 빛으로 물들인다

어떤 음악은 깊은 회상의 바다를
어떤 음악은 밝은 미래의 축제를
어떤 음악은 달콤한 사랑의 골목을 선물한다

음악이 더해지는 순간
삶은 풍경을 넘어 영화가 된다

카페에 앉아 창밖을 바라보는데, 누군가를 기다리는 것처럼 보이는 한 여성의 모습이 눈에 들어왔습니다. 그 순간, 이어폰에서는 버스커버스커의 노래가 흘러나오고 있었죠. 곧이어 저 여성에게 펼쳐질 달달한 사랑이 그려졌습니다. 그러나 실제로 등장한 인물은 동성의 친구처럼 보였고 둘 사이의 분위기는 다소 험악한 것 같았습니다.

저는 왜, 저 여성이 연인을 기다리고 있다고 생각했는지 자문해 봤습니다. 아마 그때 귀에 흘렀던 음악의 영향이었을지도 모릅니다. 만일 슬픈 멜로디였다면 기다리는 사람의 입장에서 느끼는 서글픔과 아쉬움을 상상해 봤을 테고, 신나는 곡이었다면 친구들과의 유쾌한 만남을 그려봤을 것입니다. 아무 음악이 없었다면 그 여성에게 그리 관심을 가지지 않았을지도 모르죠.

이처럼 음악은 우리가 세상을 바라보는 시각을 변화시킵니다. 같은 풍경임에도 지금 듣는 음악에 따라 그 의미가 참 다르게 다가옵니다. 우리가 카메라의 필터를 이용해 세상을 조금 더 아름답고 내 입맛에 맞추듯이, 음악 또한 그러하지 않나 생각해 봅니다. 삶은 연속성을 가지지만 때론 여러 장면으로 나뉜 것처럼 무미건조해 보입니다. 하지만 그 순간에 음악이 더해지면 그것은 곧 영화가 되고 우리에게 또 다른 감상을 가져다줍니다.

이웃에 방해가 되지 않는 선에서

- 브로콜리 너마저 -

노래에는 추억의 시간과
그때의 마음과
주변의 향기가 담겨있다

미래에 대한 적절한 불안감과
그리 심하지는 않았던 불면증과
느닷없이 찾아온 새벽의 설렘과
쑥스럽게 고개를 든 흥이 뒤섞여
집을 나서 달리기 시작했다

누군가에게 방해가 되고 싶지는 않지만
누군가에게 잊히고 싶지도 않았던

미래를 준비하면서도
막연한 불안감에 나를 놓고 싶었던

애매한 감정들이 모이고 모였던
나의 20대 초반이 이 노래에 담겨있다

인스타 친구

넓은 소셜의 바다 가운데
시간이 멈춰선 작은 섬 하나

섬의 불빛이 사라진 후에야
그곳을 탐험하기 시작한다

기록 뒤에 숨은 생각들
그리고 그 생각에 이끌려간 그들의 밤

무슨 꿈을 꾸었는지
또 어디로 향해갔는지 묻고 싶다

상상이 행간을 채우며
조용한 섬을 한 바퀴 돌다 나온다

그들의 발걸음마다 별들이 빛나기를 바란다
그리고 언젠가 그 섬에 다시 불빛이 켜질 그날
우리의 인연이 다시 이어지길 바란다

사실 저는 SNS에서 활발하게 소통하는 편은 아닙니다. 대부분은 조용히 계정을 방문해서 글을 읽어보고 가끔 댓글을 남기는 정도죠. 그런데도 내적으로는 점점 더 친밀해지는 느낌입니다. 피드에 자주 뜨다가 갑자기 소식이 뜸한 분이 계실 때면 혹시나 하고 계정을 방문해 봅니다. 물론 게시물의 업로드만 멈추었다 뿐이지 계속 활동하는 분들도 계시지만 게시물이 모두 지워졌거나 활동 중단을 공지한 분들도 더러 계십니다.

게시물이 아직 남아있는 분들의 글을 그제야 처음부터 하나씩 읽어보기 시작합니다. 평소에는 최근의 글들만 읽기 때문이죠. 참 모순적이지만 활동을 멈추고 난 후에야 그 사람을 알려고 노력합니다. 첫 글과 최근의 글을 비교하며 그들의 생각과 심경의 변화를 이해해 보려 합니다. 또한 글과 정서적 성장을 탐구하면서 밤을 지새우며 읽곤 합니다.

새벽이 밝아오면 마치 오랜 친구와의 교류를 마친 것 같은 느낌이 듭니다. 그래서 그들이 먼 곳으로 떠났다는 사실에 약간의 아쉬움이 들곤 하죠. 하지만 언젠가 새로운 이야기들을 들고 다시 돌아올 모습을 기대하며 하루를 시작합니다.

자동완성

키보드 위를 산책하는 내 손끝
새로운 길로 향하려 했으나
'자동완성'은 이미 그려진 길을 조명한다

나를 보며 속삭이는 과거와 미래의 말들
나를 안다고 확신하는 그 기계의 논리에
편안함 속에서도 괘씸한 마음이 스며든다

내 생애도 이렇게 완성되어 가는 것은 아닐지
덜컥 겁이 나서 잠시 손가락을 멈춘다

무력감과 두려움이 샘솟으면서도
스스로 길을 완성하리라 다짐해 본다

순간, 화면 너머에 있는 기계의 심장이
내 떨림을 알아챈 것만 같다

가끔 핸드폰이나 웹에서 타이핑하다가 자동완성이 되려는 것을 보면 바로 설정에 들어가 기능을 꺼버립니다. 물론 자동완성은 무척 편리한 기능입니다. 하지만 언젠가 한 번 이런 생각이 들었습니다. '네가 나를 알면 얼마나 안다고 ....'. 기록을 뒤적이면서 제가 어디로 가려는 지 먼저 안내하는 것은 편리함을 넘어 오히려 괘씸함으로 여겨졌습니다. 이번에는 다른 것을 타이핑하려 했는데 말이죠.

이러한 생각은, 제 삶이 어쩌면 이미 예정된 경로에 따라 자동완성이 되는 것은 아닌지 하는 고민을 불러왔습니다. 그리고 그러한 고민은 곧 무력감과 두려움으로 이어졌습니다. 나를 안다고 말하며 나를 정의하는 이 세상에 과연 이겨낼 수 있을까 싶었죠. 하지만 그것을 극복하고 스스로 길을 찾아야 한다고 이내 결심했습니다. 자동완성은 제 창의성과 주체성을 가두려 해도 저는 그것에 굴복하지 않고 나아갈 것입니다.

그러나 한편으로는 내심, 이런 생각마저 이미 알고 있는 것은 아닐까 하는 묘한 불안함이 들어 이것을 마지막 문장으로 표현해 보았습니다.

전자레인지

전자레인지에 음식을 넣고
타이머를 2분 30초에 맞춰놓는다
윙윙거리는 소리를 들으며 잠시 생각에 잠긴다

2분 30초 뒤면 저 차가웠던 음식은
반드시 따뜻해지리란 너무나 당연한 사실에
나에게도 그러했으면 좋겠다는 바람이 깃든다

우울했던 어제가
오늘은 저 햇살처럼 밝아졌으면 좋겠다

꼬여있던 일이 반나절 뒤엔
마법처럼 풀렸으면 좋겠다

지금 이 답답한 마음이
2분 30초 뒤엔 가벼워졌으면 좋겠다

우리의 일상은 보통 예측할 수 있는 결과를 기대하며 흘러갑니다. 하지만 때로는 예상치 못한 상황과 마주치기도 하죠. 그럴 때의 답답한 마음을 달래기 위해 분명하고 명확한 답변을 바라곤 합니다. 이 글은 그러한 일상의 푸념을 담아낸 것입니다.

　차가운 음식을 전자레인지에 넣고 시간을 설정합니다. 돌아가는 음식을 바라보며 잠시 서 있습니다. 그리곤 생각할 필요도 없는 당연한 사실을 떠올립니다. 방금 냉장고에서 꺼낸 저 차가운 음식은 정해진 시간 뒤에 반드시 따뜻해질 것입니다. 시간만 지나면 말이죠. 그 명쾌한 해답처럼 느껴지는 사실이 제 삶의 불확실한 것들, 당시 가졌던 몇몇 고민과 대비됩니다. 전자레인지에 설정해 둔 시간이 지나면 저 따뜻한 음식을 먹는 제 모습도, 음식이 주는 행복을 느낄 제 모습도 반드시 이뤄지겠죠. 그 전자레인지의 약속처럼 저의 고민과 불안도 필연적으로 나아졌으면 좋겠단 생각이 듭니다.

　하지만 현실은 항상 그렇게 예측한 대로 흘러가지 않음을 잘 알고 있습니다. 전자레인지가 갑자기 고장 날 수도 있고, 알고 보니 유통기한이 지난 음식이라 이상한 냄새가 날 수도 있겠죠. 스트레스를 받겠지만 또 적응하고 대응하면서 살아가는 것이 우리네 삶 아니겠습니까.

전화

메시지 속 차가운 흑백의 글자들
불완전한 감정이 스멀스멀 돌아다니며
우리의 마음을 어지럽힌다

하지만 한 통의 전화
그 소리에 담긴 진심
서로의 마음을 부드럽게 풀어준다

오해에 감춰진 애정
일상의 미묘한 감정
전화선을 타고 스며들어
조금씩 실제의 얼굴을 드러낸다

빗방울을 보고 폭풍을 두려워했던
그 순간이 얼마나 착각이었는지 깨닫게 된다

직업 특성상 어린 세대와의 대화가 잦습니다. 물론 사람마다 차이는 있겠지만 이들은 대체로 전화 대신 DM과 같은 메시지를 더 선호하는 경향이 있습니다. 전화는 다소 낯설고 부담스러운 수단으로 여겨지는 듯합니다.

그러나 개인적으로는 여전히 한 통의 전화를 더 선호합니다. 메시지에 저의 감정과 의도를 정확히 담아낼 정도로 제 표현이 유려하지 않기 때문입니다. 받는 처지에서도 마찬가지입니다. 아무리 상대의 입장에서 생각하려 해도 가끔 오해가 생기곤 하죠. 그런 불필요한 걱정들이 앞서며 상대와의 관계에 긴장이 야기됩니다.

하지만 전화 한 통이면 그런 오해는 금세 풀리기 마련입니다. 설령 오해가 아닌 순간에도 서로의 목소리를 듣다 보면 문제가 생각보다 쉽게 풀립니다. 물론 글로 표현하는 것이 더 논리적이고 체계적일 수 있습니다. 하지만 사람과의 관계는 매 순간 정해진 논리로만 정해지는 것이 아니라 상대의 마음과 나의 마음을 맞춰가는 작업입니다. 때론 논리적이고 완벽한 글보다는 조금은 허술해도 따뜻하고 진실한 목소리로 이어지는 대화가 더 중요하다고 생각합니다.

젓가락

띵동, 야식의 도착을 알리는 반가운 소리
바스락거리는 포장지를 풀며
매번 두 개씩 동반하는 젓가락 중 하나를
대수롭지 않게 선반 위에 던져놓는다

스르륵, 툭
무심코 쌓아온 젓가락 탑이 무너졌다
'벌써 이만큼이나 쌓인 건가'

저 쌓인 젓가락의 수만큼
체중계 위 숫자도 늘어났고
삶의 무게도 그만큼 무거워졌다

그리고 그만큼
통장의 잔고는 가벼워지고
세상과의 연결은 점점 멀어져 간다

배달 앱의 주문 내역을 살펴보며 때때로 놀라곤 합니다. 끝없이 내려가는 스크롤, 그리고 무심코 쌓아 놓은 젓가락 산이 저에게 현실의 무게를 일깨웁니다. 분명 줄였다고 생각했던 야식의 횟수가 사실은 그렇지 않았음을 깨달을 때, 서글픔과 반성이 교차합니다.

혼자 야식을 즐기는 것은, 늦은 밤까지 이어지는 작업과 다음 날의 비어있는 일정을 의미합니다. 자기 관리에 소홀한 날은 의도적으로 사람들과의 만남을 피하게 됩니다. 이러한 생활 패턴은 불면과 고독, 소외감을 유발하였습니다. 늘어나는 것은 젓가락과 영수증이요, 줄어드는 것은 잔고와 인간관계였습니다.

이 글에서 '젓가락'을, 단순한 식기를 넘어 저를 포함한 현대인의 고독과 소외의 상징으로 재해석해 봤습니다. 저마다의 삶에 치여 바쁜 나날 속에서 우리는 각자의 공간에 갇혀 사회적 관계망에서 멀어지고 그 과정에서 점차 내면마저 소외시키게 됩니다. 젓가락 산이 무너지는 장면은 일종의 자각 순간을 나타냅니다. 단순히 물리적인 누적이 아닌 정신적, 감정적 누적의 표현입니다.

정리

세상의 소음과 마음속 소란으로
그 무엇 하나 만족스럽지 않은
어느 답답한 저녁

마우스를 움켜쥐고 아이콘을 휘저어
파일을 삭제하며 순간의 해방을 느낀다

삭제했던 파일을 복구하고 수정하며
그 작은 기쁨을 누린다

이처럼 간편히 정리되면 얼마나 좋을까
과거의 그림자들 휴지통으로 살며시 보내고
복잡한 현실들은 따로 묶어 폴더에 정리하고
그리웠던 기억을 다시 불러올 수만 있다면

어설프게나마 컴퓨터를 따라 하며
생각을 정리하는 어느 답답한 저녁

장시간 컴퓨터 앞에 앉아있지만, 그 시간을 모두 생산적으로 활용하는 것은 아닙니다. 때로는 무표정하게 화면만을 응시하거나, 의미 없이 키보드를 두드리거나, 마우스로 아이콘을 옮기며 시간을 죽이기도 합니다. 특히 마음이 어지러울 때는 더욱 빈번하죠.

어느 날 저녁도 그러했습니다. 별생각 없이 폴더들을 삭제하다가 오래된 파일들을 정리하기로 했습니다. 새로운 폴더를 만들어 다시 분류해 보기도 하고 이제는 불필요한 파일들을 삭제해 나갔습니다. 사실 전과 바뀐 것은 크게 없지만 그래도 기분이 한결 가벼워졌습니다. 그러다 문득 나를 괴롭히는 모든 문제가 이처럼 간단하게 정리될 수 있으면 참 좋겠다는 생각이 들었습니다. 과거의 그림자를 지우는 것과 복잡한 현실을 정리하기가 이렇게 쉬웠으면 좋겠습니다. 행복했었지만 지금은 희석되어 버린 기억들도 다시 생생하게 불러올 수 있었으면 좋겠고요.

하지만 그럴 수 없는 게 사람 아니겠습니까. 컴퓨터처럼 쉽게 정리해버리면 마치 그것과 같이 데이터로만 이루어진 차가운 그 무언가가 되어버릴 수도 있습니다. 속이 답답하고 마음이 무겁기도 하지만 앞으로 나아가려고 열을 내기에 사람에게 온기가 있을 수 있다고 생각합니다.

종이컵

한 잔의 물을 담은 종이컵을 놓고
잊힌 시간 속에 그대로 두었다
한참 뒤 무심코 잡은 종이컵은 이미 변해있었다

쭈글쭈글해진 그 형태를 보며
물을 마시고 나서야 궁금증이 솟구쳤다
"과연 시간이 지나면 찢어지는 것일까?"

내 눈으로 확인하고 싶어 시간을 두고 관찰했다
하지만 그 이상 변하지 않았다
내부에는 얇은 코팅이 숨어 있었기 때문에

그 순간 깨달았다
우리도 종이컵처럼 외부에 주눅 들지 않으려면
그런 얇은 코팅이 필요하다고

대단한 다짐보다는 저 얇디얇은 자존감의 층이
우리를 지켜주는 갑옷이 될 수 있다고

과학적 지식이 부족한 것이 때론 새로운 호기심의 촉매가 되곤 합니다. 물론 지식의 결핍이 자랑은 아닙니다만 평소에는 무심코 지나치던 사소한 것들이 새롭게 느껴져 그에 대해 찾아보곤 합니다. 그런 에피소드 중 하나를 다룬 글입니다.

종이컵에 물을 받아놨는데 긴 작업으로 인해 잠시 잊고 있었습니다. 한참 뒤에 발견한 그 쭈글쭈글해진 모습에 궁금증이 생겼습니다. '더 오래 두면 찢어질까?'. 바로 답을 찾기보다는 직접 확인하고 싶어 몇 시간 더 두었습니다. 하지만 그이상 흐물흐물해지거나 찢어지는 일은 없었습니다. 내부에 있는 얇은 코팅막 때문인데, 생각해 보면 평소에 종이컵을 만질 때 안쪽의 매끄러운 부분이 있었습니다. 그게 코팅막이었구나 하는, 새로운 것 없는 사실에 충격을 받았습니다. 평소엔 그것이 있다는 것을 알았으나 무슨 역할인지 몰랐었던 거죠. 더 정확히는 관심이 없었다고 하는 게 맞겠습니다.

종이컵의 코팅막처럼 우리의 마음에도 자존감이라는 보호막이 존재합니다. 마음을 지키는 것은 대단한 것들이 아니라 최소한의 자존감입니다. 코팅막처럼 평소엔 잘 드러나지 않더라도 중요한 순간에 우리를 지켜주는 거죠. 그러니 우리는 마음을 편히 먹을 수 있습니다. 우리에게 필요한 것은 나를 위하는 저 자존감 한 꺼풀이니 너무 부담 갖지 말자고, 말입니다.

짜증

아침에 일어나 냉장고를 열어보니
이런, 불이 꺼져있다
밤새 틀어놨던 TV도 어느샌가 꺼져있다

새벽의 폭우 탓일까
전문가에게 연락하고 잠시 의자에 앉았다

녹아내린 냉동고의 음식
차가운 물로 하는 샤워
쌓여있는 빨랫감

짜증을 내려다가 생각을 고쳐먹고
오래되었던 음식을 정리한다
오랜만에 목욕탕도 가고
빨래방 가는 길에 산책도 했다

또 다른 일상을 경험한다고 생각하니
그리 호들갑 떨 것도 없었다

한차례 폭우가 휩쓸고 간 어느 아침, 목마름에 냉장고를 열었을 때 익숙한 뭔가가 빠져있는 것을 느꼈습니다. 불빛! 냉장고의 불빛이 들어오지 않았습니다. 일순간 잠에서 깨어 차단기를 살펴봅니다. 스위치가 내려가 있어 다시 올려보지만, 틱틱 거리는 소리만 나고 올라가지 않습니다. 당혹감과 짜증을 억누르며 잠시 의자에 앉아 전기기사님에게 연락을 취해봅니다. 이른 시간인지 전화를 받지 않으셔서 문자를 남기고 잠시 집안을 둘러봅니다.

냉동고에 있는 아이스크림은 이미 녹아버렸습니다. 얼음장 같이 차가운 물에 샤워하다 다시 짜증이 솟구칩니다. 오늘 빨래를 하려고 했었는데 마침 이런 일이 벌어져 또 하루가 미뤄질 판국입니다. 짜증이 쌓여가는 와중에 잠시 숨을 골랐습니다.

사실 냉동고에는 오래된 음식이 대부분이었는데 이참에 정리해야겠습니다. 목욕을 좋아하는데 요새 딱히 갈 일이 없었습니다. 오히려 잘됐다고 생각하며 근처의 목욕탕을 검색해봅니다. 날씨가 추운지라 집에서는 빨래가 잘 안 말랐는데, 주변의 빨래방에 가서 건조기까지 사용해야겠습니다. 다행히 오늘은 날이 좋아 산책하는 기분이 날 것 같습니다. 그렇게 어제와는 다른 하루를 보낼 생각에 짜증이 차지할 공간이 없게 되었습니다.

책방

처음 보는 책방이 보인다
제법 멋이 나는 것 같아 조심히 들어선다
손님은 나 혼자, 아담한 규모다

한참을 고민하다 한 권의 책을 꺼내 든다
표지엔 한 쌍의 남녀가 수줍게 손잡고 있다

내용은 아직 1페이지밖에 없지만 나는 알고 있다
앞으로 우리의 사랑이 쓰일 것을

바깥세상의 불빛은 하나둘 꺼져가지만
이곳은 아직, 그리고 계속해서 은은하게 빛날 것이다

저는 책방에 놀러 가는 것을 좋아합니다. 따로 시간을 정하지 않고 무작정 찾아가기도 하고, 약속 전 남는 시간에는 주변의 책방을 탐방하기도 합니다. 특정한 목적이나 읽어야 할 책을 찾기 위해서가 아니라, 책방 자체가 주는 안락함과 포근함을 좋아합니다. 그곳에 진열된 책들에 담긴 수많은 인생이 저를 맞이해주는 느낌을 받습니다. 그래서 제가 어떠한 모습과 마음이어도 그 모든 것을 포용해 줄 것만 같은 거죠.

사랑의 시작을 책방에 방문한 것으로 비유해 보았습니다. 새로운 사람과의 첫 만남, 그리고 그 사람의 생각과 삶을 알아가는 과정이 마치 책방에서 책을 탐색하는 것처럼 느껴졌습니다. 제 책방에 누군가 들어오는 일은 항상 설레는 사건입니다. 여러 책을 추천해 주고 싶기도 하고 때론 무슨 책을 고를지 가만히 지켜보는 것도 즐겁습니다.

여러분의 책방에는 무슨 책들이 있나요, 또 어떤 책을 추천해 주고 싶으신가요?

청춘

1
우울했던 어제와
방황하는 오늘과
희망찬 내일

2
어제는 그늘진 우울의 숲을 거닐었고
잃어버린 꿈들 사이에서 방황했다
어둠 속에서 빛을 잃은 별처럼

오늘은 혼란스러운 바람 속에서 헤매는 중이다
방향을 잃어버린 나침반처럼
질문 속에서 길을 찾아보지만
답 없는 수수께끼에 맞닥뜨린다

하지만 희망의 새벽을 기다린다
동트는 하늘 아래 새로운 꿈을 키우며
맑은 빛 속에서 나의 길을 발견하리라

1번이 먼저 쓰였을까요, 2번이 먼저 쓰였을까요. 당연히 1, 2번 번호가 붙었으니 1번부터 쓰고 2번처럼 풀어썼을 것으로 추정되기 쉽습니다. 또한 1번은 짧고, 함축되어 있으니 이를 바탕으로 2번을 썼다고 보는 게 합리적이겠네요.

　　사실은 2번을 먼저 쓰고 1번을 나중에 썼습니다. 정확히 표현하자면 1번의 감정을 먼저 생각했지만, 실제 글로 풀어낸 것은 2번이었고 나중에 1번으로 표현해 봤습니다.

　　저는 간결한 글에 대한 불안함이 있었습니다. 길게 표현하는 것이 그래도 소위 말하는 '더 있어 보인다'고 생각했기 때문이죠. 감정을 표현하려고 더 많은 수식어를 붙이려고 하며 읽는 이에게 최대한 전달되었으면 했습니다.

　　그러나 점차 깨달았습니다. 간결한 단어와 함축적인 표현이 더 강력한 메시지를 전달할 수 있다는 것을, 글의 진정한 힘은 길이가 아니라 깊이와 진정성에서 나온다는 것을 말이죠. 그러한 과정에서 시도했던 글입니다. 아직 많이 부족하고 매번 짧을 수는 없겠으나 최대한 길이보다는 간결함 속 깊이와 진정성에 더욱 초점을 맞추고자 합니다. 그리고 그렇게 표현할 수 있도록 풍부한 어휘력을 갖추도록 노력할 것입니다. 이를 통해 여러분의 마음에 깊이 다가갈 수 있기를 바랍니다.

출퇴근

매일 아침, 태양과 함께 일어나
영웅의 망토를 두르는 우리
원대한 꿈을 품고
세상을 향해 발걸음을 내딛는 순간

그러나 저녁노을과 함께
영웅의 망토는 조용히 사라지고
패배의 그림자가 속삭이며 다가와
우리의 어깨를 무겁게 짓누른다

아침의 위풍당당함은 어디로 갔는가
저녁의 침묵 속에 잠겨버린 걸까

이 모든 것은 단 9시간의 서사
매일 쓰고 지워지는 영웅의 시

아침에 세워지는 하루의 계획은 마치 완벽한 시나리오처럼 보입니다. 퇴근 후에 운동하고, 새로운 취미에 몰두하거나 사교 모임에 참석하겠다는 다짐 등으로 하루가 가득 차 있습니다. 빼곡히 차 있는 머릿속 일정표에 살며시 미소가 지어지며 바쁜 일상의 주인공이 된 듯한 기분이 듭니다.

하지만 이 모든 계획은 퇴근과 함께 서서히 무너집니다. 퇴근길에 하루의 피로가 몰려오며 아침에 세웠던 계획들이 점점 흐려집니다. 손에 쥔 핸드폰엔 어느새 배달 앱이 켜져 있습니다. 집에 도착해 씻는 것조차 버겁게 느껴지죠. 겨우 씻고 나서는 개운함에 잠시 침대에 누워봅니다. 계획을 하나씩 삭제해 가며 남은 시간을 무의미하게 계산해 보죠. 그리곤 내일의 나에게 이 마음의 짐을 넘기며 하루를 마무리합니다.

출퇴근은 하루하루를 살아가는 우리 모두의 이야기입니다. 아침의 다짐이 퇴근 시간에 무너지는 것을 소재로 하여 일상 속 소소한 영웅주의를 조명하고자 했습니다. 영웅 서사시의 주인공으로서 세상에 마주하는 영웅이었다가 결국엔 피로에 지쳐 패배하는 모습을 과장하여 표현해 봤습니다. 하지만 실제로 우리는 매일의 피로와 싸우는 영웅이며 또 다른 내일의 이야기를 기다리는 영웅입니다.

출항

- 안예은 -

언제든 우리는 새롭게 출항할 수 있다
넓은 바다처럼 끝없는 가능성을 향해

거대한 도전의 파도를 향해
또는 내일의 여울을 향해

다짐이란 작은 배를 띄워
우리는 항해를 시작할 수 있다

과거의 폭풍, 실패의 물결도
우리를 가로막지 못한다

무엇이 우리 뒤에 있든
돛을 펼치고 바람을 맞이하자

취기

취기 오른 밤
흐릿한 달빛 아래
아직 시들지 않은 꿈들이 춤춘다

한 잔
사색은 술잔 속에 풀어져 회오리처럼 고요한 방을 맴돈다
무언가를 잃어버린 것처럼 어떤 공백이 가슴을 스친다

다시 한 잔
술의 따뜻함이 추억의 차가움을 잊게 한다
세상의 소음이 멀리서 들려온다
오묘한 감각과 순간의 해방을 느낀다

마지막 한 잔
골목의 쓸쓸함과 별의 미소에
나는 지금 취해 있다

예전엔 혼술을 즐겨 했습니다. 아무도 없는 공간에서 눈치 볼 것 없이 술기운에 저를 맡기는 것이 좋았습니다. 술 몇 잔을 홀짝이다 보면 이내 몽롱해지고 감정이 뒤흔들리기 시작합니다. 숨겨두었던 욕망과 공허함, 꿈에 대한 아쉬움이 한꺼번에 몰려옵니다. 이 글은 그러한 기분과 취기, 사색의 교차점에서 탄생한 글입니다.

술 한잔의 여운이 저를 감싸면 평소에 갈무리해 두었던 생각들이 마구 튀어나와 머릿속을 헤집죠. 과거와 인연에 대한 아쉬움이 남긴 공백이 처음엔 점이었다가 점차 커다란 원이 되어갑니다. 그래서 한 잔 더 기울입니다.

바깥세상의 소음이 때론 더 크게 들리기도 하고, 갑자기 고요해지기도 합니다. 감각이 둔해지기도, 예민해지기도 하는 괴이한 상태가 됩니다. 입고 있던 옷을 벗어버린 후 찾아오는 알 수 없는 해방감에 기분이 좋아집니다.

마지막 한 잔을 들고 창가로 갑니다. 저 먼 골목길을 바라보다 다시 하늘을 바라봅니다. 방충망 때문에 세상이 네모 조각 되어있지만, 그 특이한 광경에 한 차례 더 취해가는 기분입니다.

취미

옛 취미는 먼 기억 속 희미한 별빛
취미가 무어냐는 질문에 망설임이 밀려온다

취미, 그것은 단순한 오락이 아니라
일상을 벗어난 충동의 표현이며
평범함을 특별하게 만드는 특별한 여정이다

다시 한번 가슴 속 열정의 색을 찾아
순수한 기쁨의 무대를 칠할 것이다

숱한 구경꾼들의 눈치에도 아랑곳하지 않고
내 안의 무대로 올라서리라

새로운 사람들과의 첫 만남에서 종종 취미에 대한 대화가 오가곤 합니다. 하지만 언젠가부터 이 질문에 답변하기가 점점 더 어려워졌습니다. 독서나 영화감상과 같은 취미를 말하기엔 실제로 그 활동들에서 큰 즐거움을 찾지 못하고 있기에 답하기가 민망합니다.

한때는 '마술'이라고 자신 있게 답했습니다. 오랫동안 해왔으며 항상 몰입해 있었고 나름 전문성도 갖추었기에 관련해서 몇 시간이나 떠들어댈 수도 있었죠. 흔하지는 않으니, 상대가 흥미를 갖기에도 좋고요. 그러나 그 세계와 멀어진 후 저는 '취미'라고 부를만한 것을 아직 찾지 못한 느낌입니다. 취미가 꼭 있어야 하냐고 누군가 묻는다면 '그렇다'고 확답하긴 어렵습니다. 그러나 제 경험에 비추어 본다면 취미란 것은 또 다른 내면의 신화를 이뤄가는 과정이었습니다. 일상에서 표출하지 못한 욕망과 능력, 독창성 등이 뒤섞여 순수한 기쁨을 가져다줍니다.

요즘은 타인의 눈치를 보고 취미를 말하는 경우가 꽤 있습니다. 저 또한 그랬었고요. 하지만 진정한 취미는 타인의 흥미가 아닌 본인의 마음을 움직이는 것입니다. 이 글을 읽고 계시는 여러분의 취미는 무엇인가요?

칭찬

다음의 것들을 칭찬한다

알람에 눈을 뜬 것
다시 눕지 않고 바로 일어난 것

얼굴만 씻을까 잠깐 고민했지만 제대로 샤워한 것
대충 입지 않고 차려입고 나온 것

출근하자마자 업무를 다 해치운 것
내일 업무 계획까지 세운 것

미뤄뒀던 약속의 날짜를 확정 지은 것
퇴근 후에 글을 쓰고 있는 것

너무 늦지 않게 잠자리에 든 것
오늘을 또다시 버텨낸 것

과하게라도 오늘 스스로를 칭찬한 것

삶을 살아가다 보면 자신을 위로하고 칭찬해야만 하는 날이 있습니다. 자신이 초라해 보이고, 모든 일이 버거워지는 그런 순간들입니다. 외로움과 무력감이 교차하는 이 시기에는 주변에서 온기를 찾지만, 어쩐 일인지 연락 한 통조차 없는 날이기도 합니다. 부모님께 말씀드리려다가 걱정을 끼칠까 싶어 전화를 망설이게 됩니다.

이런 날에는 과하게라도 스스로를 격려하는 것이 필요합니다. 우리는 흔히 큰 성과만을 중시하고 일상 속의 작은 성취를 간과하기 쉽습니다. 하지만 그런 소소한 순간들이 실제로는 일상을 지탱하고 우리를 강인하게 만드는 원동력이 될 수 있습니다.

자기 칭찬은 어찌 보면 자조적으로 보일 수도 있으나, 결국 삶에 긍정적인 영향을 미칩니다. 일상의 작은 승리를 인식하고 이를 습관화하여 개인의 자존감을 세울 수 있습니다. 그러니 스스로를 인정하고 칭찬해 줍시다. 힘든 오늘 하루도 잘 버텨왔다고 말이죠.

클리셰

요즘의 사랑 이야기는 마치 만화경처럼
다채로운 색과 형태로 빛난다

그 속에서 피어나는 감정의 파편들은
색다른 모습으로 내 이목을 사로잡는다

하지만 난 여전히 클리셰를 사랑한다
오래된 이야기 속에 담긴
고전적인 사랑 이야기가 좋다

고난과 역경을 헤치고
마침내 사랑의 결실을 보는
그 예측 가능한 마법의 순간이
내 마음을 따뜻하게 한다

중국 무협 문학의 걸작 중 하나인 '사조영웅전'은 김용 선생님의 손에서 탄생한, 제가 가장 좋아하는 작품입니다. 이 작품 속 남녀 주인공은 연속된 난관과 오해, 심지어 가문의 반대에 부딪혀 항상 엇갈립니다. 또한 복잡하게 얽힌 가치들의 한복판에서 길을 잃기도 하죠. 하지만 그 모든 것을 이겨내고 끝내 둘의 사랑은 결실을 봅니다.

　요새는 작품의 호흡들이 짧아지고 있기에 소위 말하는 '고구마' 같은 상황이 길어지기가 어렵습니다. 그리고 더욱 자극적인 소재들로 사랑을 그려내고 있죠.

　하지만 전 여전히 고전을 사랑합니다. 진부한 클리셰가 넘쳐나는 그런 클래식들을 말이죠. 아무리 결말을 예측할 수 있더라도 그 이상의 온기와 위안을 주는 것이 바로 이러한 작품들의 큰 매력입니다. 세상은 점점 더 흥미진진해질지 몰라도, 제 사랑만큼은 자극보다는 따듯함이 우선이었으면 좋겠습니다.

키스와 일기의 공통점

처음엔 낯설지만
습관이 되어 익숙해지고
점점 더 솜씨가 좋아진다

때론 숙제 같은 무거움을 느끼기도 해서
그냥 넘어갈 때도 있다

그날의 감정이 스며들고
남에게는 쉬이 보여주기 싫다

돌이켜보면 많은 날을 기록했고
뜨거웠던 몇 번의 순간은 생각만으로도 또렷하다

무엇보다도
하루 중 가장 솔직한 순간이다

그녀와 함께했던 장소를 회상하던 중, 그곳에서 나눴던 키스가 문득 생각났습니다. 놀랍게도 그 감각이 여전히 선명하게 기억나네요. 보통 추억 속 장소를 생각하면 그곳에서의 사건들이 떠오르기 마련입니다. 하지만 이번엔 반대로, 키스의 감각이 그날의 만남과 장소를 담고 있었습니다.

그것이 마치 일기와 비슷하다고 생각해서 적게 된 글입니다. 생각해 보니 일기와 꽤 많은 것들이 같았습니다. 습관이 되면 능숙해지는 것도 같고, 때로는 숙제처럼 느껴지기도 하는 것마저 말이죠.

날마다 조금씩 기록을 쌓아가다가, 언젠가 뒤돌아보면 그 양에 깜짝 놀라게 됩니다. 물론 키스의 횟수를 정확히 세지는 않았지만 언뜻 떠올려봐도 단위가 꽤 놀랍습니다.

게다가 가장 솔직한 순간이기도 합니다. 성인이 되어서도 쓰는 일기는 이제 보여줄 사람이 없기에 정말 가감 없는 감정을 쏟아낼 수 있습니다. 키스 역시 마찬가지입니다. 키스의 순간엔 서로의 가장 솔직한 감정이 오고 가죠.

타향살이

서울로 떠난 후, 고향의 길은 설과 추석에만
주간의 전화도 점차 이달의 소식으로 바뀌고
부모님의 목소리에는 여전히 기다림이 묻어있다

바쁨을 핑계 대며 무심히 흘려보내지만
'다음에'라는 말은 언제나 기약 없는 약속이 된다

10년의 세월, 타지에서의 삶이 지쳐갈 때
가족의 손길과 목소리가 문득 그리워진다

어머니의 주름진 손을 잡는 순간
죄스러움이 눈물로 터져 나오고
가족의 따뜻함과 오래된 그리움이 새삼스레 다가온다

고향을 떠나온 지 어느덧 10여 년이 넘어섰습니다. 타지에서 새로운 삶을 시작하며 쉼 없이 달리느라 고향과 가족에 대한 생각을 잠시 잊고 살았습니다. 부모님의 전화에도 항상 '다음에'라는 약속을 반복하며 오로지 명절에만 찾아뵙는 불효자였죠. 예전엔 집이 그저 답답하기만 했는데 언젠가부터 그곳에 대한 그리움이 마음속에 자리 잡기 시작했습니다.

타향살이에 익숙해질수록, 아니 지쳐갈수록 고향의 풍경과 가족의 얼굴이 더욱 선명하게 그리워졌습니다. 지금 당장 돌아갈 수는 없지만, 언젠가는 그 품으로 돌아가고 싶다는 마음이 생겨났죠. 이 그리움이 가족에 대한 것인지, 고향에 대한 것인지 아니면 그 두 가지 모두인지는 분명치 않습니다. 다만 확실한 것은, 잊고 지냈던 모든 것들에 대한 생각이 점점 더 많아진다는 것입니다. 이제는 고향으로의 발걸음이 자주 이어지고 있습니다. 변하지 않는 그 풍경 속에서 유일하게 변한 것은 어머니의 손입니다. 그 주름진 손을 잡을 때마다 무심했던 지난 세월이 떠올라 스스로 반성하게 됩니다.

타지에서 생활하며 느꼈던 고향과 가족에 대한 그리움을 표현하고자 했습니다. 이 글이 여러분에게도 잊고 지내온 그 모든 관계를 다시금 되새겨보는 계기가 되었으면 좋겠습니다.

퇴근길

- 신치림 -

일상이라는 같은 그림 속에서
가끔은 다른 색을 발견하는
그런 하루가 있다

과거에 꿈꾸던 내 모습과
현재 내 모습 간의 괴리를
마치 다른 사람처럼 바라보게 되는 그런 하루

마냥 우울하기만 한 것이 아니라
지금 이 순간에 감사하고 또 작은 행복을 느끼고
꿈이 멀어보여 서글프기보다는
일상과 이상의 거리를 온전히 느끼는 그런 하루

조금은 서운하니까
내일은 더 열심히 살아야지 각오를 다지면서도
소소한 행복을 주는 오늘에 감사하게 되는
그런 하루가 있다

파괴

돌멩이 하나가 깨어져
흙과 물이 만나 작은 싹이 텄다

성벽이 무너지고
풍경과 사람들이 이어져
새로운 이야기가 시작됐다

때로는 모든 것이 파괴되어야
진정한 완성을 위한 무대가 마련된다

파괴의 순간이 완성의 시작일지니
두려워하지 않는 마음으로 새로이 나아가자

저는 어렸을 적부터 장난감 조립을 좋아했습니다. 그중에서도 레고는 저에게 최고의 놀이였죠. 저는 무언가를 완성하고 나면, 그것을 오랫동안 그대로 두곤 했습니다. 새로운 것을 조립하고 싶은 마음이 굴뚝같아도 꾹 참았습니다. 완성된 작품을 무너뜨리는 것이 아깝거나 두려웠던 것 같습니다. 지금 돌이켜보면 그것이, 성인이 되어서도 새로운 시작을 망설이게 만드는 원인이었을지도 모릅니다.

우리는 자주 새로운 시작을 꿈꾸지만, 막상 기존의 것을 바꾸는 것에 주저합니다. 어떤 시작은 필연적으로 파괴에서 비롯되기 마련입니다. 새로운 일상을 위해 기존의 루틴을 바꾸거나, 새로운 환경을 위해 이사를 하는 것처럼 말이죠. 삶을 더욱 풍요롭게 만들기 위해서는 때론 기존의 삶을 파괴할 용기가 필요합니다.

완성은 또 다른 완성의 토대에 불과합니다. 파괴는 창조의 시작이며 변화와 도전의 신호탄입니다. 저처럼 새로운 출발을 꿈꾸는 모든 이들에게, 이 글이 두려움을 넘어서는 작은 밀알이 되기를 바랍니다. 우리의 삶은 완전하고 멈춰있는 것이 아닌, 끊임없이 변화하고 성장하는 여정입니다.

팔베개

- 뜨거운 감자 -

소리 없는 헌신이자
수줍은 애정의 표현
말없이 이어지는 사랑의 서사

밤이 깊어져 가는 시간, 하루의 작업을 마치고 침대에 눕습니다. 잠시 휴대폰을 만지작거리자, 세상의 소식들이 화면을 스쳐 갑니다. 별다른 감흥 없이 슥슥 넘기던 중 문득 내일 일정이 생각납니다. 곧바로 끄고 저 멀리 던져둡니다. 방 안을 밝히던 휴대폰의 불빛이 사라지자, 어둠이 내려앉습니다. 잠시의 정적 이후 부스럭거리며 일어나 휴대폰을 다시 가져옵니다. 평소보다 이른 시간으로 알람을 설정합니다. 요새는 알람 없이도 곧잘 일어나지만 그래도 중요한 일정을 앞두고 설정해 두지 않으면 불안해서 잠을 뒤척이곤 합니다. 물론 몇 해째 이어지는 이 불면의 밤들은 고작 알람을 설정해 두거나 휴대폰을 멀리한다고 해서 쉬이 물러가진 않습니다. 또다시 잠이 오기까지 1시간 남짓 걸릴 것입니다.

정자세로 자보려고 꾸준히 노력하지만 결국 몸이 가장 익숙한 자세로 고쳐 눕습니다. 왼쪽으로 몸을 틀고 왼팔을 쭉 뻗습니다. 이제는 올려둘 것 없는 그 팔이 여전히 허전하게만 느껴집니다. 접어보기도 하고 머리맡에 깔아보기도 하지만 역시나 어색해서 다시 쭉 뻗습니다. 대신 인형 하나를 그 자리에 놓아둡니다. 잠시의 안도감에 기분이 나아집니다. 하지만 그 가벼운 무게감에 다시 가슴이 먹먹해집니다. 약간의 팔 저림이 그리워져 베개에 얼굴을 파묻습니다. 그렇게 궁상을 떨다가 스르르 잠이 듭니다.

편의점

도시의 심장이 무거운 밤을 품을 때
무심한 세상 속에 홀로 소외감을 느낀다

어느 골목 모퉁이
환한 불빛이 켜진 안식처로 발걸음을 옮긴다

진열대 너머의 청년이 물건을 정리하며
따뜻한 미소로 인사를 건넨다

잠시 고민하다 맥주 한 캔을 고르고
안줏거리를 고민하며 이곳의 분위기에 녹아든다

길어봤자 10분 남짓
사람과 도시의 냉기에 굳어버린 마음이
녹아 흐르기에는 충분한 시간

편의점이 곳곳에 있다는 사실이 제겐 작은 위안이 되곤 합니다. 어둠이 내린 골목길에 불빛을 밝히는 편의점을 발견할 때면, 안도의 한숨을 내쉽니다. 집에 있기가 갑갑하고 허전함이 들 때면 슬리퍼를 신고 편의점으로 발걸음을 옮깁니다. 무언가를 사야겠다는 생각으로 온 것이 아니기에 한참을 서성입니다. 맥주 한 병을 들었다가 다짐했던 금주를 생각하며 다시 내려놓습니다. 옆에 처음 본 맥주가 있어서 잠시 검색하다가 아쉬움에 입맛을 다시고 자리를 떠납니다. 이어 아이스크림 코너로 눈을 돌립니다. 최근의 높은 가격에 놀라면서도 어릴 적 좋아했던 '요맘때' 몇 개를 집어서 장바구니에 담습니다. 하지만 좀 더 머물러 있을 것 같아서 다시 냉동고에 돌려놓고 계산 직전에 꺼내기로 합니다.

이번엔 과자 코너로 향합니다. 상단에 비치되어 있는 프링글스가 맨 먼저 눈에 들어옵니다. 고등학교 시절에 즐겨 먹었던 그때를 잠시 추억합니다. 하지만 결국 집어 들지 않고 냉장 코너로 향합니다. 다음 끼니까지 고려하여 도시락 두 개를 장바구니에 넣고 계산대로 향합니다. 아차, 냉동고에 넣어둔 요맘때가 생각났지만, 다이어트 결심을 상기하며 오늘은 포기하기로 합니다. 그렇게 잠깐의 쇼핑이 하루 동안의 불안과 고독을 조금이나마 완화시켜 줍니다. 잠들지 않는 편의점의 존재가 얼마나 다행인지 모릅니다.

편지

군 복무라는 긴 터널 속에서
편지는 작은 촛불이 되어
어둠을 밝혀주었다

그녀의 편지 속 시간의 창문은 항상
토요일 오전에 열려 있었다

그 한 줄의 글에서
그녀의 세상이 내 앞에 펼쳐졌다

아침 햇살의 따스함
창밖으로 스며드는 커피 향
그녀의 손끝에서 춤추는 잉크의 궤적까지

편지 속에 흐르는 대화처럼
그녀의 일상과 생생함이
나에게는 새로운 감동이었다

예전엔 편지를 자주 썼습니다. '20XX년 XX월 XX일'은 편지를 마무리하는 고정된 양식이었습니다. 편지를 쓸 대상과 상황이 달라져도 이 부분은 항상 같았죠. 크게 신경 쓰지도 않았습니다.

그런 제게 신선한 충격을 준 사람이 있습니다. 군 복무 중에 같은 과 누나와 편지를 주고받은 적이 있는데, 외진 곳에서 복무하던 중이라 그런지 더더욱 편지가 감사하게 느껴졌습니다. 그녀는 항상 편지를 쓰는 시간까지 기록하였습니다. 나아가 상황까지도요. 예를 들면 이렇습니다. '20XX년 XX월 XX일 토요일 오전, 차가운 커피를 마시며'. 이 작은 차이는 편지의 내용을 더 생생하고 친밀하게 만들었습니다. 마치 바로 앞에서 그녀와 이야기를 나누는 것처럼 느껴졌죠.

일상적으로 쓰는 양식을 조금 비트는 것만으로도 편지를 받는 사람에게는 특별한 경험을 선사할 수 있습니다. 여러분도 편지에 시간과 더불어 본인의 모습을 적어보시는 건 어떨까요. 나중에 상대방의 반응을 보는 것도 새로운 즐거움이 될 것입니다.

폭우

캠퍼스를 적시는 폭우 속에서
세상의 경계는 흐릿한 수채화처럼 녹아내린다

끊임없이 쏟아지는 빗줄기 사이로
고요히 흐르는 듯한 멜로디가 귓가에 맴돈다

그녀의 손을 잡고 걷기도, 때론 뛰기도 하며
물웅덩이를 피하지 않고 나아갔다

어느 한 건물 앞에서 두 눈이 마주친 순간
말없이 입술이 서로를 찾아 나섰다

한 치 앞이 보이지 않는 폭우가
커튼이 되어 우리를 감싸 안아주었다

사랑에 빠지면 간혹 미친 짓을 하곤 합니다.

네. 그렇습니다

이번 사족은 이것으로 줄이겠습니다.

부끄럽네요.

할부

너와의 사랑에도
할부가 있으면 좋겠다

이번 달은 이만큼만 사랑하도록
다음 달은 그만큼만 사랑하도록

마음이 얼마나 쓰일지 미리 알고
서로 상처받지 않았으면 좋겠다

다만 완납되지 않는
그런 영원한 사랑이면 좋겠다

어느 영화의 명대사를 흉내 내어
내 사랑의 할부 기간이 만년이길
그 기간을 버텨줄 내 마음의 0도 그만큼이길

사회초년생에게 할부는 어쩌면 가장 교묘한 함정일지도 모릅니다. 면밀히 세워진 계획을 무너뜨리고 미래의 자신에게 무거운 부담을 지우는 일이 되니까요. 과거에 저도 할부의 유혹에 빠져 지냈습니다.

사랑하는 사람과 다툴 때는 항상 마음이 문제입니다. 마음이 부족할 때도 있고, 때로는 넘쳐흐를 때도 있어 다툼이 벌어집니다. 그렇기에 할부의 개념이 생각났습니다. 만약 마음을 쓸 수 있는 한도가 정해져 있다면, 이렇게 싸우거나 아프지 않았을 테니까요.

그럼에도 사랑은 할부가 불가능하다는 것을 잘 알고 있습니다. 누군가를 좋아하는 마음과 설렘이 순식간에 커져 버리는 것을 어떻게 조절할 수 있을까요. 그러니 우리는 항상 싸우고 또 화해하며 더 큰 사랑을 얘기하는 거겠죠.

행복

창밖에 서려가는 걱정들 사이
수증기처럼 흘러가는 생각
'지금 바로 행복해지고 싶다'

그런 날이 있다
생각의 방향을 조금만 틀어도
행복이 찾아오는 날이

갑작스레 들려오는 빗소리에 설레고
저녁 메뉴 고민에 즐겁다

적당한 내 방 크기가 더없이 아늑하게 느껴지고
내일 무엇을 할지 꿈꾸는 오늘이 그저 감사하다

행복은 먼 곳이 아니라
우리가 살아가는 길 위에
작은 빛처럼 머무르고 있다

행복을 찾는 우리의 시선은 종종 먼 곳, 먼 미래에 가 있습니다. 그것이 현실을 더욱 힘들게 느껴지도록 만들며 때로는 우리의 의지마저 앗아갑니다. 저도 예전에는 행복이 언제쯤 제 삶에 찾아올지 염려했습니다. 그러나 그 고민이 마음의 부정적인 습관에 불과하다는 것을 깨달았습니다.

고개를 돌려 제 주변을 둘러보니 그곳엔 이미 행복이 넘쳐나고 있었습니다. 삶의 무게에 가려져 있어 보지 못했을 뿐이었죠. 예를 들어, 빗소리는 제게 작은 행복을 선사합니다. 또한 저녁 메뉴를 고민하는 즐거움도 있죠. 평소엔 작다고 불평하던 제 공간을 다시 생각해 보면 한 몸 누이기에는 아늑하니 딱 맞습니다. 다가올 내일에 대한 기대감으로 감사함을 느끼기도 합니다.

우리가 살아가는 매 순간에, 행복은 이미 우리 곁에 있을지도 모릅니다. 우리가 인식하느냐, 아니면 그냥 지나치느냐의 문제입니다. 삶을 더욱 밝고 행복하게 만들기 위해서는 이제 먼 곳이 아닌 바로 우리 주변에 관심을 기울일 때입니다.

화장실

화장실에 들어설 때마다
마치 성당의 고해소에서 고백하듯
내 지난 시간과 다짐들이 떠오르고
마음속 깊은 곳의 이야기들이 터져 나온다

때로는 볼일이 없어도
그저 그 고요한 성소에 머물러
마음의 경건함을 느끼곤 한다

화장실은 생리적 필요를 넘어선
정신적 위안을 찾는 나만의 은신처다

화장실에 가는 것은 우리의 일상에서 가장 평범하면서도 은밀한 순간입니다. 하지만 제게는 경건함을 불러일으키는 특별한 곳이기도 합니다. 일을 보는 그 짧은 순간에 일상의 번잡함을 떠나 과거의 다짐과 오늘의 실수가 떠오릅니다. 마냥 아프기만 한 것이 아니라 동시에 의지가 생기며 치유가 되는 신기한 경험을 합니다. 한번은 지인과 대화하던 중 우연히 이 이야기를 했는데, 그분 역시 비슷한 경험을 했다고 말했습니다. 의외로 많은 분들이 공감할 수 있지 않을까 생각해 봅니다.

　화장실은 생리적 필요를 충족하는 장소지만 그것을 넘어서 마음을 비우고 내면과 깊이 대화할 수 있는 장소가 되기도 합니다. 때로는 중요한 결정을 내리기도 하죠. 이처럼 우리 일상 속의 예상치 못한 장소에서 자신만의 평온과 위안을 찾을 수도 있습니다. 여러분에게도 이 같은 특별한 장소가 있는지 궁금하네요.

마무리하며

이 짧은 여정 동안 저와의 동행이 어떠셨는지 궁금합니다. 인연의 시작과 끝에는 언제나 인사가 자리합니다. 이 책은 여러분의 끊임없는 관심과 응원 덕에 존재할 수 있었습니다. 여러분이 그 시작을 배웅해 주셨으니, 마무리는 저의 인사로 도리를 다하고자 합니다. 우리의 만남에 잠시 쉼표를 찍으며, 소회를 담아 짧게 남깁니다.

제 글은 다소 냉소적이고 자조적으로 느껴지기도 합니다. 유쾌하고 따뜻한 글을 쓰고 싶었지만 노력해도 잘 안되더라고요. 제 삶의 단면을 반영한 것이라 그런가 봅니다. 그래서 처음 인사말에 따뜻함이 필요한 글이라고 말씀드렸던 것입니다. 하지만 글을 쭉 정리하다 보니 이미 많은 관심과 사랑을 받아온 것 같아 한편으로는 마음이 따뜻해졌습니다. 이 글들이 나오기까지 참 많은 분의 도움이 있었습니다. 결국 사람과 사람 사이에서 살아가는 것이기에 저 혼자였다면 도저히 생각하지 못할 것이 많았죠. 여러분의 존재에 항상 감사히 생각하고 있습니다. 우리 모두의 삶이 더욱 빛나기를 바라는 응원의 말을 전하며 이만 줄이겠습니다. 감사합니다.